文春文庫

銀の猫

朝井まかて

文藝春秋

目次

銀の猫　7
隠居道楽　53
福来雀(ふくらすずめ)　97
春蘭　139
半化粧(はんげしよう)　181
菊と秋刀魚　231
狸寝入り　273
今朝の春　309

解説　秋山香乃　350

銀の猫

銀の猫

一

初夏の朝のことで、辺りはもう明るい。

雀が盛んに鳴く空の下を、飛脚が威勢よく走り抜ける。日本橋通りに並ぶ店の小僧らはまだ半分起きていないのだろう、あくび混じりに水打ちをしている。

お咲はうっかりと裾を濡らされないように時折、店前を避けながら、豊島町の鳩屋に向かった。小豆色に白丸、中に鳩の字を染め抜いた暖簾を潜る。

鳩屋はおなごの奉公人だけを扱う口入屋である。女中奉公は年限を決めて雇い主と証文を交わす年季奉公が尋常なのだが、繁忙期だけ手伝う通いの奉公人も斡旋したところ、これが大いに重宝がられて店の間口を広げた。

油障子を開け放した前土間に入ると、珍しいことに五郎蔵とお徳夫婦が揃って長火鉢の前に坐っていた。いつもは寝皺のついた湯帷子のままで、房楊枝を使っていたりする。

「ただいま戻りました」

主の五郎蔵が顔を上げた。

「ごくろうさん」

女房のお徳もそのかたわらで湯呑を持ち上げたまま、うなずいて寄越す。

「疲れたろう。加賀屋のご隠居、どうだった」

「うん、膝の震えは随分とましになった。お医者ももう少ししたら、また杖を持てるんじゃないかって」

「そりゃ大したもんだ」

お咲は板ノ間に上がり、柱に吊るされた奉公帳を下ろした。膝の上に帳面を広げ、小筆を持つ。この三日の間、泊まり込んでどんな世話をしたかを思い返しながら、手を動かした。隠居部屋の掃除に飯の用意とその介添え、着替えに洗濯、むろん隠居の様子も記しておく。

隠居は怪我をして歩けなくなったのがきっかけで、起き臥しが難儀になった。それで一年前に鳩屋に声がかかり、お咲が通って介抱を始めた。怪我が癒えても一歩を踏み出すのを怖がる素振りがあって、とくに寒い間は躰も縮こまる。けれど暖かくなるにつれ、足取りがだんだん定まるようになってきた。

昨日はお咲が肘を支えるだけで寝間から縁側まで歩いたこと、そのお蔭で声にも少し張りが戻り、また戯言も口にするようになったことを記した。

このまま恢復して前のように杖で出歩けるようになればいいけれどと念じながら、墨が乾くのを待って奉公帳を閉じた。

お咲は四年前、天保四年からここ鳩屋の世話で女中奉公をしているのだが、この三年ほどは「介抱人」をしている。

身内に代わって、年寄りの介抱を助ける奉公人だ。

江戸の町は、長寿の町だ。子供はふとした病であっけなく亡くなるけれど、五十過ぎまで生き延びればたいていは長生きで、七十、八十の年寄りはざら、百歳を過ぎた者もいる。ことに裕福な町人の場合、自らの隠居料をたっぷりと持って跡目を譲るので、気随気儘に芝居や物見遊山に出かけたり、俳諧や長唄を習っては近所に披露目をする。それは世に「老い光り」と呼ばれ、江戸者は皆、その隠居暮らしを目指して遮二無二働くのである。

ただ、年寄りが光っていられるのは躰気が充実している間だけのことだ。病や怪我がきっかけで外出をしなくなると、寝たり起きたりの暮らしが始まる。

「まあ、一服しな」

五郎蔵が茶を淹れて呼んでくれたので、長火鉢の前に移って膝を畳んだ。五郎蔵はなぜか急須を持つのが好きな男で、茶葉にもいろいろと凝っているようだ。お徳はいつも神棚の前でどっしりと坐っていて、亭主が「ほい、お前も」と猫板の上に差し出した湯呑をさして有難がりもせず、当たり前のように持ち上げている。

もう四月、初夏とはいえ明け方は冷えたので、熱い焙じ茶がしみじみと旨い。

「ああ、生き返る」

ほっと息をつくと、「ゆうべも、寝ずの番かい」と五郎蔵が訊ねた。

「そう。夜更けに何度もお小水を訴えなさるから、こっちがぐっすり眠り込むわけにはいかないでしょう。おまるを使ってくれると助かるんだけど、それはどうにも嫌がりなさるし」

と言いつつ、「でもね」と笑いを洩らした。目を上げると、五郎蔵とお徳が顎を突き出している。興味津々の顔つきだ。

「ううん、何でもない」と、首を横に振った。すると、「それはない」と五郎蔵が口を尖らせる。

「自分だけ思い出し笑いってのは、いただけねえな。お咲、言えよ。吐け」

「そんな大仰なことじゃないってば。加賀屋のご隠居さん、今朝、久しぶりにやりなさったんだよ。搔巻(かいまき)から手を出して、にゅって」

お咲が自分の胸を指すと、五郎蔵は「そうか、ご隠居、また触りやがったか」と急須の腹を撫でながら笑った。

「それは、それは……慶賀の至りってやつだな。加賀屋のご隠居たあ、いくつだったか。喜寿は過ぎてんだろ」

「若く見えなさるけど、八十五だよ」

年寄りも百人百様で、食べ物に執着する者もいれば、色欲が残る者もいる。加賀屋の隠居は後者の類で、若い頃から艶福で鳴らした御仁らしく、隙あらば尻や胸を触ってくる。

初めは、それが厭でたまらなかった。ちょうどこの長火鉢の前で、「介抱先を変えてくれ」と頼んだほどだ。

けれど今は相変わらずの振舞いが復活して、ほっとしていたりする。

「お乳を揉むのはよしてくださいってお願いしていますよねって、あたし、睨んだんだよ。でも、にんまりと笑うの。それが悪戯小僧みたいで」

お徳が煙草の刻みを取り出して丸め始めた。煙管に詰めて吸いつけると、火皿から細い煙が立つ。

「お咲も出戻りとはいえ、まだ二十五だ。色惚けの爺さん相手は、さぞ気骨が折れるだろう」

「そんな。べつに色惚けってほどじゃない」

妙な気がした。お咲が介抱先を変えてくれと泣きついた時、「そのくらい、減るもんでなし」と鼻で笑って相手にもしてくれなかったのはお徳だ。

——介抱人は、女中奉公の何倍もの稼ぎができる稼業だよ。それがなぜだか、わかるかい。

たしか、そう問われた。お咲はとまどいながら「下のお世話もするから」と答えたけれど、お徳は渋面を作って頭を振ったものだ。

――あんたはまだ何も、わかっちゃいない。

そして、すげなく「厭ならおやめ」と突き放されたのだ。お咲は「じゃあ」と、やめるわけにはいかなかった。

何をどう言われようが、稼がねばならなかったのだ。それは今も変わらない。

五郎蔵は急須の蓋を取って中を覗きながら、「この茶葉、まだ出るかな」と呟く。するとお徳は、「お前さん」と押し返すように言った。

「おつね、しばらく空いてるんじゃなかったかい」

肘で亭主の腕を突いている。

「へ」

「へじゃないよ。昨日、お咲ちゃんばっか稼いで、あたしにももっと介抱の口を回してくれろって、おつねに泣きつかれたじゃないか」

鳩屋に出入りする女たちのうち、手っ取り早く稼げる介抱人を引き受けたがる者は皆、何がしかの事情を抱えている。

早口でなじったお徳は、今度は真正面からお咲を見る。

「おつねの亭主、また商いでしくじったらしいのさ。おつねも気の毒なこった。才のかけらもないくせに儲け話は大好きなろくでなしがさ、次から次へと苦労を運んでくるんだから」

お徳のおかめ顔が、何ともわざとらしい縦皺を眉間に刻む。お咲は何か魂胆(こんたん)がありそうだと、湯呑を膝の脇に置いた。

お徳は亭主の五郎蔵よりも貫目があって、物言いも強い。鳩屋はおなごの奉公人ばかりなので、おつねのようにいつだって他人が羨ましい者、愚痴っぽい者らが取るに足りぬ行き違いで陰口を叩き合い、中には気の荒い女もいて「表に出ろ」などと喧嘩沙汰になることもある。

それを捌いているのは五郎蔵ではなく、お徳だ。お徳はいざとなれば「喧嘩は両成敗。二人とも、明日から来なくていい」と切ってしまうし、事と次第によっては奉公先にも乗り込んで掛け合うこともする。そして五郎蔵は茶を淹れ、女らの世間話の相手をする。

「だから、加賀屋さんの介抱、おつねに回してやろうかね。そうしよう。おつねは無愛想だからそうそう手出しもされないだろうし、あたしらも安心だ。ね、お前さん」

五郎蔵はまた肘で突つかれて、取ってつけたように言い添える。

「ん、ああ、そうだ。おつねに、まかせちまいな」

「あたし、加賀屋さんを代わってほしいだなんて、そんなこと思ってませんよ」

膝を改めて、お徳を見返した。

これから具合が良くなりそうだと察しをつけ、それを甲斐に感じたばかりなのだ。

だがお徳は素知らぬ顔をして自分の湯呑を亭主に差し出し、さもうまそうに煙草をくゆらせる。そして、「いやね」と言い継いだ。

「あんたにはさ、いい話が来てんだよ。厄介な病を抱えてるわけじゃなくて、ちょいと足腰が弱ってるだけだって。世話をしてるのは近所でも評判の孝行者らしいんだけど、三日ほど家を空けるんだってさ。それで明日っから是非ってぇ、お頼みなんだよ。ほら、去年、根岸の料理屋、あすこのご隠居のお世話に通っただろう。今度の介抱先も湯島で料理茶屋をやっててさ、あんたのことを聞いたみたいなんだよねえ」

それで「加賀屋をおつねにまかせろ」なのかと、腑に落ちた。それならそうと言えばいいものを、お徳は時々、お為ごかしな言いようをする。奉公人に「借り」を作るのが厭なのかもしれない。

お咲はさてどうしたものだろうと俯いて、手の中の湯呑を回した。鳩屋では三日勤めの後は一日休むのが決まりで、介抱先ともその約束を交わしているし、そうでなければこちらの身が保たない。明日からまた泊まり込みかと思うだけで、疲れの嵩がどっと増すような気がした。

「そうそう、これ、おっ母さんに」

お徳が背後の茶簞笥から紙袋を出して、猫板の上に置いた。

「なかなかいけるよ、この豆煎餅。浅草でちょいと評判なんだ。持って帰っておやり」

「そういや、到来ものの宇治もあったな。あれも持たせてやろう」

いつもは吝い夫婦が小女を呼び、あれを探せ、これも出せと命じている。ふと、お咲の帰りだけを待っている、母のしんねりと白い顔が目に浮かんだ。

「根岸のどこだっけ」

「湯島だよ。天神下の喜重だけど。そうかい、引き受けるかい」

たぶん、介抱先にはもう返事をした後なのだろう。お咲に「うん」と言わせるのにどう説きつけたものかと思案して、朝から待ち構えていたのだ。

五郎蔵は途端に相好を崩してお徳に「やれやれ、一件落着」と言ったが、お徳は呆れ顔だ。

「お前さん、何の役にも立ってないけど」

「いつものことじゃねえか。いいかげん、慣れろ」

五郎蔵はいそいそと、茶を淹れ直している。

お咲はお徳と顔を見合わせて、噴き出した。

二

本郷の菊坂台町は緩やかな坂になっていて、その坂を上り切る手前の路地を入るとお咲が住む裏長屋、甚兵衛店がある。

お咲はふらつきそうになるのをこらえて、のろのろと足を運ぶ。鳩屋にいる間は気も紛れてさほど感じないが、介抱の疲れは一人になった途端に遠慮会釈がなくなる。家が近づくにつれて躰が濡れ綿のように重くなり、目の奥もじんと痛い。

なにせ三日三晩というもの、気が抜けないのだ。加賀屋の隠居のように歩く習練を始め、自身も自信を取り戻したその時期が危ない。周囲の手を借りずに動いてみようとするからだ。その意志は大事にしたいけれど、介抱人が目を離した隙にまた転んだら大事（おおごと）になる。

おつねちゃん、ちゃんと目配りしてくれるかしらん。

少し心配になってくる。おつねは無愛想なだけでなく、鳩屋でもしじゅう居眠りをしている。

と、誰かを背負った男が前屈みになって、ゆっくりと坂道を下りてくる。薄暗く伸びたあの月代（さかやき）は、同じ長屋で菊作りをしている庄助（しょうすけ）だろう。背に負っているのは、母親のおきんだ。

お咲が道端の軒下に身を寄せて道を空けると、庄助は伏目のままかたわらを行き過ぎる。これまで気に留めることもなかった庄助の横顔を間近にして、お咲は思わず「え」と洩らしそうになった。まだ三十路（みそじ）前のはずなのに頰がげっそりと落ち、目の下など渋皮色に沈んでいる。背中のおきんがお咲を認めて、童（わらべ）のように微笑んだ。

「いいお天気ですね」

声をかけたけれど、おきんの眼差しはもうあらぬ方を向いている。庄助は立ち止まって半身を前に倒し、両腕だけを動かして小さな躰を背負い直した。お咲はその後ろ姿をしばらく見送って、また坂を上る。

長年、寝ついているらしいおきんは時々、物事の綾目もわからなくなっているようだ。庄助はその介抱に明け暮れている。細々と、菊の挿（さ）し芽を繰り返して。

お咲のような介抱人を雇えるのは、今日明日の暮らしに頓着しない家だけなのである。庄助のように親から受け継ぐ身代のない職人は働いて親の世話をして、女房ももらえぬまま老いていく者も少なくない。

身につまされるような気がして、お咲は急ぎ足になった。長屋のどぶ板を踏み、井戸端を通り過ぎ、家の腰高障子を引く。その途端、食べ物の饐えた臭いが鼻をついた。汚れたまま放ってある茶碗や皿に蠅がたかっている。息を止めて蠅を追いながら中に上がり、奥の障子を開け放した。

「遅かったねえ」

枕屛風の向こうで寝惚けた声を出したのは、母親の佐和だ。

お咲はこの「遅かったねえ」を聞くたび、何もかもおじゃんにされたような気になる。介抱先の隠居の仕業を笑い飛ばした余裕も、やっと自分の布団で手足を伸ばせるという安堵も、何もかも。

――遅かったねえって、何て言い草よ。あたしは遊んでたんじゃないわよ。泊まり込みで働いて帰ってきた娘に、せめて朝餉くらい用意しとくって気は起きないわけ。こんな、食べ切れないほどお菜を買ってきて腐らせて、飯櫃だって怖くて蓋を開けられやしない。

一緒に暮らし始めた頃はそんな言葉をぶつけたこともあったけれど、今はもう諦めている。

だ。

「私のせいじゃない」

佐和は決まってそう返し、ついと横を向くのだ。

だからお咲は黙って、懐の猫に手を当てる。銀で細工した坐り猫で、小さな根付だ。それを守り袋に入れ、肌身離さず持ち歩いている。

気が少し落ち着くと、「さて」と呟いて袂を帯の間に入れ、井戸端で茶碗を洗い、竈に薪を入れて飯を炊き始める。火吹き竹を使うだけで眩暈がして、尻ごと坐り込みたくなる。包丁を持つ手も腕も重い。が、佐和はこちらに見向きもせずに身支度をして、鏡台の前に坐り込むのだ。

朝陽が鏡に照り返して、佐和の富士額が白く光った。その非の打ちどころのない作りに、お咲はぞっとすることがある。もう四十を過ぎているというのに、まだ途方もなく美しい女なのだ。そして、何もかもにだらしがなかった。

佐和はもとは、大店の主の妾奉公をしていた。が、人に情を尽くすということをおよそ知らず、ただただ散財を続けたようだ。出入りの商人に勧められれば言いなりに繡箔の小袖を作り、塗りの簞笥を誂え、京の香や扇子を揃えた。むろん、数年も経たずに愛想づかしをされた。が、佐和の旦那はいくらでも見つかった。相手が代わるたびその身代が小さくなり、金子を遣わせてもらえなくなっただけだ。そして今はこうして、お咲の稼ぎに頼って暮らしている。

「やだ、こんなところに染みができてる。お咲、ちょいと見ておくれ」

近頃の佐和は日がな、鏡の前に坐っていた。歳を取ることをひどく恐れていて、若い娘のように眉を剃り落とさず、お歯黒もつけない。そして年寄りを忌み嫌っている。だからお咲は介抱人の仕事をしていることを、佐和には話していない。

膳を二つ出して、佐和を呼んだ。

「もうへとへとなんだから。片づかないから一緒に食べちゃって」

佐和は膳の前に坐るなり、くっきりと描いた眉の根を寄せた。

「何だよ、このお膳。お菜は」

「佃煮があるでしょ。茄子も蕗も全部、駄目になってたんだから。ねえ、早く。あたし、今日、寝とかないと、明日からまた泊まり込み」

つい早口になる。佐和の長い睫毛がゆっくりと動いて、声が低くなった。

「あんた、あの鳩屋の夫婦にいいように使われてんじゃないのかえ。あの夫婦、こすからそうだから気をつけないと。で、明日からって、いつまでさ」

「三日だけど、場合によっちゃわかんない。延びるかも」

「じゃあ、私はどうしたらいいんだよ」

「また、いくらか置いとくわよ。好きな物、買って食べれば。どうせ何も作んないんでしょ」

佐和の目の下にひくりと険が走った。構わずに箸を使っていると、立って掌を差し出す。

「煮売り屋に行って来るから、お銭をおくれ。私、厭なんだよ、こんなお供えみたいなお膳」

佐和の掌を見た。自分のそれとはまるで違う、なめらかで柔らかな手だ。お咲は巾着からいくらかを出して、その掌に叩きつけた。白い手はそれを握り締めると、お咲の肩のそばを通り過ぎ、路地へと出ていく。

湯島の仕事を引き受けたのは、たとえ三日でもおっ母さんと一緒にいなくて済む、そう思ったからなのだということに気がついた。

湯島の天神下の㐂重は繁盛している料理茶屋で、赤い毛氈を敷いた床几はもう客で埋まっている。

襟をつくろってから裏へ回り、竹の枝折戸を押した。下男らしき男に声をかけ、「鳩屋から参った女中です」と小声で伝える。介抱を他人の手に委ねるなど外聞が悪いと考える家がほとんどなので、お咲たちは「通いの女中」と告げるのが常だ。

しばらく待たされて、肥った女が忙しげに出てきた。女将であるらしい。

「鳩屋さん、こっち」

化粧の濃い顔に顎で示されて、その後ろをついて母屋沿いに裏庭を進む。

「母屋には入らないどくれ。夜はこっちの座敷にも客をお通しするから」

お咲は「はい」と返して、板場らしき前を通り過ぎる。鰹節と醤油の濃い匂いがして、中では盛んに鍋釜が触れる音や人声がする。井戸端では下女が何人も坐り込んで洗い物をしている。女将はその先に伸びた畳石を辿り、小体(こてい)な離れの前で足を止めた。

「ここが隠居家(いんきょや)。じゃあ、よろしくお願いしますよ」

中に入ろうともせずに背を見せたので、慌てて呼び止めた。

「女将さん、ご隠居さんのふだんの様子を教えていただいてもよろしいですか。お世話でお望みになることや、気をつけるべきことも伺っておきませんと」

見た目だけではわからない不具合を抱えているのは年寄りに限ったことではないが、初日はまずそれを訊くのが仕事の始まりだ。だが女将は店の様子が気になって仕方がないのか首だけで見返って、「さあ」と赤い口の端を下げた。

「うちの人、今朝早く発ったから。だからおたくに来てもらったんじゃないか」

どうやら、この家では女房が稼ぎ手で、亭主が父親の世話をしているようだと、察しを巡らせた。お咲がそれに驚くことはない。

年寄りの介抱を担っている者の大半は、一家の主なのだ。これは町人も武家も同じことで、旗本や御家人などの幕臣は親の介抱のために届を出して勤めを休むことも許されている。主君に忠義、親には孝養を尽くすが人の道である、御公儀(おかみ)はしじゅうそんな高札を立てて「孝」を触れ、それもお咲が生まれる前からのことらしいので、町人の間でも「家を継ぐ者が、親の老後を看取(みと)る」という料簡(りょうけん)が行き渡っている。家屋敷や蔵、店の跡目を継ぐことと親を看取ることは一体であり、名代の店の主であっても商いを番頭に任せ、何年も老親の介抱に専心するのである。一家の主が親の介抱に手を取られている間、家内を守るのが務めとされている。

一方、主の妻女や孫はというと、介抱の中心にはならないのが常だ。

それは承知しているものの、この家は主から何の申し送りもなく、女房には取りつく島もない。

「足腰が弱ってるだけだから、ちょいと介添えしてくれりゃあいいんじゃないの。ああ、お義父っつぁんのお膳とあんたのは、板場から運ばせるから」

足早に引き返していく。お咲は自身の荷をまとめた包みを、脇に抱え直した。

何とか、なる。何とかしなくちゃ。

己にそう言い聞かせて離れの戸口を引き、薄暗い土間に身を入れた。訪いを入れても、何の返答もない。内障子を引いて中を覗くと、いつもの臭いがする。大抵は甘苦い煎じ薬のそれで、寝たきりになるとそこに汗と糞尿の臭いが混じる。ふだんの世話が行き届いているかどうかは、まず鼻でわかる。ひどい家は目が痛くなるほどだ。

足腰が弱ってるだけ。鳩屋のお徳もそう口にしたけれど、お咲はそれを鵜呑みにしてはいなかった。それはもう斡旋口というもので、いざ奉公に入ってみれば覚悟を上回る厄介が待ち受けている。ここもあんのじょうだ。

十二畳ほどの座敷の正面、床の間の中に、まるで置物のように老爺が坐っている。帷子の胸許は大きくはだけて痩せた皺腹を見せ、左手をつっかえ棒にして身を支えているようだ。お咲と目が合った途端、顔の左半分が醜く歪んだ。

㐂重の隠居、㐂作は倅の重兵衛から留守にすることを聞かされていなかったのか、それとも介抱人を入れるのが気に喰わなかったのか、お咲が介抱人だと告げた途端、かたわらの何かを摑んで投げつけた。が、それは㐂作の股の間に落ちて白い灰を舞い上げる。香炉を投げたのだった。

㐂作はその灰に噎せ、口から長い涎を吐いた。そばに寄って背をさすろうとしても身をよじって嫌がり、躰を触らせない。そして床の間の壁にもたれたまま、焦立たしげに唸り続けている。お咲はかれこれ一刻ほど、その声ともいえぬ声にひたすら耳を傾けている。

㐂作はどうやら中気の症で、右の半身が思うように動かないらしかった。顔も右側は落ちるように下がったままで、だから何に癇癪を起こしているのか見当がつかない。ほとんどの言葉は唾にまみれ、口の端に泡ができては雫になる。

㐂作は白く濁った目でお咲を睨み据え、時折、出入り口にも目をやって吼えた。それが誰に向かって何を言いたいのか聞き取ることができぬまま、やがて声が掠れ、潮が引くように弱くなった。

「少しお寝みになりませんか。お疲れになったでしょう」

声がけをしながら、少しずつ床の間ににじり寄る。

「お咲と申します」

しかし㐂作の口からは唸り声だけが洩れる。それでも間合いを詰め、中腰のまま㐂作の左隣に回り込んで肩を並べた。面と向かって話しかけるよりも、横並びになる方が敵意や疑念を少しはやわらげることができる。誰に教わったわけでもないが、これまでの介抱でそんな気がしている。

㐂作の着物の腰から下は、香灰に白くまみれている。尿の臭いも強い。

「今日から三日の間、ご隠居様の暮らしをお手伝いする女中です」

耳許でゆっくりと、できるだけ明るい声で告げ、左の腕に手をあててみた。㐂作はそれを振り払いはしない。息の荒さも少しばかり落ち着いてきたので、訊ねてみた。

「ここで、ずっと坐っておられたいですか」

すると今度はだんまりだ。辛抱強く返答を待つと、束の間、顔を少しだけ持ち上げて座敷を見やった。

「それとも、畳の上にお移りになりますか」

今度は背中を軽くさすってみた。右半分は硬い板のごとくだが、左半分はちゃんと手応えがある。

「ゆっくりでかまいませんから、立ち上がってみましょうか。安心なすって。私が介添えします」

㐂作の腋の下に自分の肩を入れ、まずは身を起こさせる。これも抗わない。

が、㐂作は痩せているのに鉛を詰めたかのように躰が重く、一寸たりとも尻が上がらない。部屋を見回すと、壁際に薄縁畳(うすべり)が一枚あるのが目についた。それを床の間の前まで引っ張ってくる。

「ご隠居さん、ここに横になってください」

すると㐂作は左腕を上げ、指先を畳に向けて伸ばした。

このご隠居は耳も頭もしっかりしていると、内心でほっとした。こちらの言うことをちゃんと受け止められる。

お咲は背後に回り、尻を両手で支えながら畳に近づけた。足が言うことをきかない年寄りの場合、尻を持ち上げてやるのが最も安心だ。下手に腕を引いたりすると、妙な拍子に骨を折ることとすらある。

㐂作が左の半身でにじるようにして畳の上に乗ると、お咲は介添えをして少しずつ畳の中央に㐂作の躰を動かした。

もう汗みずくで、暑くてたまらない。こんな季節だというのに、ここは障子を閉て(た)切ったままなのだ。

ようやっと㐂作の首の下に枕をあてがうと、また声を発する。口許に耳を近づけても言葉はやはり要領を得ない。すると左の肘を上げ、頭の先を指した。指の先には障子が見えるだけだ。お咲は「あ」と声を洩らして膝を立てた。

「障子、引きますね。ええ、暑いですね」

障子の向こうは広縁で、板戸も開け放す。目の前に十坪ほどの庭が現れ、青葉の匂いのする新しい風が流れ込んできた。

汗が引き、さあ、着替えだと思いながら引き返すと、㐂作がまた唸る。

「風を入れるんじゃなかったんですか」

顔の半分を顰め、また左手を使って頭の上を指した。お咲は首を傾げながらもう一度、広縁に立った。庭には丸く刈り込んだ躑躅の手前に大きな楓が枝を伸ばしていて、奥には槇の細葉や譲葉の艶やかな緑も見える。

お咲はふいに思い出して、懐の銀の猫に手を当てた。

寝ついてからも庭が見える位置に蒲団を敷いてくれと言い、「あの真紅の躑躅は深山、あれは沙羅の木、右手は空木」と、木々の名を教えてくれた人がいた。家の北側の暗い隠居部屋だったのに、それを愚痴ることもなく、目尻に綺麗な皺を寄せた。

――ここは北庭があるから、じつは上等なんだよ。庭木からしたらこっちが南になるだろう。だから皆、葉表を見せてくれる。

達者な頃と少しも変わらぬ、落ち着いた物言いだった。

と、お咲は庭木の葉に目を凝らした。間違いない、葉表だ。慌てて㐂作の枕元に引き返す。

「北枕になっていたんですね」

それからまた汗だくになって、㐂作を寝かせたまま薄縁畳の向きを逆に動かした。下の畳表がめりりと傷んで、半月の形にそそけ立つ。でもそんなことに構ってはいられなかった。

翌朝、お咲は広縁に文机を出し、そこに脚付の俎板と小包丁を置いた。今朝早く、母屋の板場で借りてきたのだ。

料理茶屋だけあって、昨日の昼膳は貝の刺身に筍の煮物、海老の天麩羅という豪勢なものだった。㐂作は右手がきかないのでお咲が箸で少しずつ口に運んだのだが、右の口の端から零してしまう。胸に手拭いを添えるとそれが気に障ったようで、また唸った。そして結局、膳のほとんどを残してしまったのだ。夕餉も同じだった。

この家は、ご隠居にいつもこんな物を運んでいるのだろうか、道理で痩せているはずだと、皿を片づけながら溜息を吐いた。いや、親子で一緒に膳を囲んでいたかどうかさえ怪しい。一緒に食べていれば、今の㐂作にこの膳がいかほど辛いものかに気づくはずだ。

だめだめ、お身内の世話の仕方を頓着するのは禁物だよ。

お咲は首を横に振る。介抱人を始めたばかりの頃はあれこれと目について、「汗疹がひどいんで、着替えをまめに願います」とか、「たまには足をさすってあげてください」とか頼んで帰ったものだけれど、たいていはそれで身内が臍を曲げ、後で鳩屋に文句が届く。

——その時々、自分がやれるだけのことをおやり。介抱人は所詮、他人なんだから。気を入れすぎちゃいけない。

お徳にそう説教されたものだ。けれどお咲は何とか、㐂作に食べさせたい。でないと躰に力が戻ってこないはずなのだ。癇癪を起こす気力があるのだから、それを躰を動かす習練に向けさせたい。それで板場に頼みに行ったのだが、女将はまだ起きておらず、板場の者には「忙しい最中に何の注文だ」と凄まれた。それで仕方なく、俎板と包丁を貸してほしいと頭を下げた。

目刺を一口大にぶつ切りにし、茄子の浅漬けは細かく刻み、梅干しは実をほぐして皿に戻してゆく。

㐂作は床柱に背を預けて坐っている。昨日、置物のように床の間に坐っていたのも、それが身を支えやすかったのだろう。本当は布団の上で横たわっている方が本人は楽なはずで、家の者までその楽に流されれば、そのまま寝たきりになる。が、㐂作は今朝も自ら起きようとした。それは日々の暮らしを、生きることを投げていない証だ。

「お待たせしました」

朝餉の用意を整えて箱膳を座敷に運んだ。㐂作をゆっくりと立たせ、歩かせ、膳の前に坐らせる。それも一仕事で、ようやっと㐂作の腰を落ち着けさせると息が弾んでいた。

「ご隠居、どれもおいしそうですよ」

お咲が箸を持って目刺を取ろうとすると、㐂作がまた唸った。左手で箸を寄越せという素振りをする。

「ご自分で、お食べになるんですね」

㐂作は黙ったまま、皺深いその手に箸を握り締めた。が、利き手でないので箸先が交叉してしまう。お咲は茶碗を持ち上げ、箸の前に近づける。白く濁った目がじろりと動いたが、はねつけはしない。㐂作は箸で飯粒を掬うようにして顎を動かした。唇に何粒も残ったけれど、お咲は途中で手出しをしなかった。目刺は滑って難儀して手摑みになったが、梅干しも漬物も飯にのせて綺麗に平らげた。

㐂作はふうと肩肘を緩め、げっぷをした。

二日目はどんよりと薄曇りになり、夕方から雨になった。

そして今日、三日目の朝は思い直したように晴れ上がり、お咲は汚れ物を抱えて井戸端に向かった。下女を呼び止めて汚れ物を渡し、いちばん大きな盥を借りた。

「おや、あんた。そんな物、どうすんのさ」

振り向くと、女が懐手をして立っていた。女将のような気がするが、化粧をしていないので人が違って見える。

「今日はお天気がいいので、ご隠居さんに行水をと思いまして」

女将はふうんと鼻を鳴らし、首だけを突き出してお咲の顔をじろりと見た。

「あんた、何で介抱人なんぞしてんの。年寄りの世話なんて、辛気臭いだろう」

ほら、おいでなすったと思った。介抱にかかわっていない者に限って、こんな無遠慮な問いを投げてくる。こんな時、「お年寄りに喜んでもらえるのが嬉しい」とか「他人様に尽くせるのが甲斐だ」なんて善人ぶるのは愚の骨頂だ。お咲は満面に笑みを浮かべて、いつもの答えを口にした。

「そりゃあ、住み込みの女中奉公よりもいい稼ぎになるからですよ。あたし、親がこさえた借金を抱えているもので」

この一言でほとんどの相手は黙るし、うまく行けば当たりも少々、柔らかくなる。ずるいやり口かもしれないけれど嘘ではない。お咲は母、佐和が作った借金を返している。相手は、お咲の別れた亭主だ。

あんのじょう、女将は白けた顔をしただけでもう何も言わない。盥を抱えて辞儀をして、離れに帰った。広縁にそれを置き、井戸端で水を汲んで運んだ。また思いついて母屋に取って返し、板場で拝むようにして湯を分けてもらい、盥の中にあける。額の汗を拭いながら、㐂作に「行水しましょう」と声をかけた。

今日は朝餉の後、広縁の障子枠に半身を預けて坐している。㐂作はたしかに聞こえているはずなのに、ちろりと目玉を動かすだけだ。お咲と目が合うと、ぶんと拗ねたように左の頬を動かす。ははん、と思った。たぶんお咲の前で素裸になるのが嫌なのだ。

「ご隠居、少し臭いますよ。くさいの、お好きですか」

わざと言ってやると㐂作はしばらく考えて、渋々と左の腕を動かし始めた。お咲はじっと見守る。肩や膝も坐ったまま動かして、㐂作はやっと諸肌脱ぎになった。帯も片手で解き、前がすっかりとはだける。今度はお咲も手伝って下帯一つになるともう居直ったのか、驚くべき速さで下帯も解いた。

尻を支えて左半身から盥に入れ、右の脚はお咲が持ち上げた。手拭いを固く絞って肩や背中をこすると、ぼろぼろと垢が落ちる。㐂作は左手で湯をすくっては胸や腹にかけ流し、時折、気持ちよさそうに唸る。湯に浸かった股の間で鼠色の毛が揺れる。

庭の向こうでほととぎすが鳴いた。するとそれに響くように、㐂作が声を出した。最初に「あんた」と言ったような気がして、肩越しに顔を覗きこんだ。

「ご隠居さん、今、私に何かを訊ねられましたよね」

すると、左側の頰と唇が動く。

「あんた……何で、こんな仕事を、ですか」

ご隠居は喋れる。ちゃんと言葉になる。

そうわかると、お咲は弾むように濡れた手を拭った。今日、これを訊かれるのは二度目だと思いながら、懐から守り袋を取り出す。盥の横に坐り、中の物を取り出して見せた。

銀細工の猫は掌の上で陽射しを受け、盥の湯に光を散らす。

それは小指ほどの小ささだけれどとても精緻にできていて、香箱坐りをした猫の丸めた前肢や髭、躰に添わせた尻尾もちゃんと刻んである。

「これ、私の舅がくれたものなんです」

㐂作は銀の猫に見入って、左の目だけをしばたたかせた。

お咲の、思い出したくもない嫁ぎ先での暮らしで、ただひとり、気持ちの通じ合った人が舅の仁左衛門だった。

風邪がもとで仁左衛門が長患いになった時、当然、お咲の亭主である仙太郎がその介抱に当たるはずだったが、仙太郎は枕許でそれを渋った。

あれは十九の年だったから六年前、天保二年だとお咲は思い返す。今でも珍しがられるので、たぶん、あの当時の江戸には介抱人などという奉公はまだなかったはずだ。

「覚悟していたが、いよいよか。けどあたしもいろいろ忙しいから、どうしたものかなあ」

嫁ぎ先は昔は藍玉の問屋を営んでいたが何代か前に商いを仕舞い、方々に持っている土地や長屋を他人に貸して暮らしていた。暖簾を掲げずとも蔵の中は増える一方で、町人としてはいわば「上がり」の身の上だ。仙太郎が商いに明け暮れる必要もなく、忙しい理由が他にあったことをお咲は後に知った。

「それに、あたしは生まれながらの不器用だろ。行き届かなかったら、申し訳が立たないね」

姑の登美はとことん仙太郎に甘かったので、手前勝手な理屈にも「そうだね」と大きく首肯した。水茶屋で奉公していた、どこの馬の骨ともわからぬお咲を嫁として迎えるのも、登美は不承知だったのだ。が、結句、仙太郎に押し切られた格好になった。

「これまで通り、身の回りの世話は女中や下男らにさせればいいんだし、世間様にはお前が看ていることにしようか。そういう体裁を繕っている家は珍しくないんだから。お前様、それでよろしゅうござんすね」

登美はとりあえず仁左衛門を立ててはいたが、時折、そんなふうに有無を言わせぬ物言いをした。

仁左衛門は目を閉じたまま、しばらく黙っていた。そして瞼を動かし、天井を見つめて「いや」と否を唱えた。

「それはいけない。かりにも父親の介抱だ。体裁を繕うとは、孝に悖る」

仙太郎と登美は二の句が継げず、口の端を曲げて顔を見合わせていた。

お咲もひどく驚いた。ふだんは穏和で、女房や倅に指図がましいことの一つも口にしたことがない舅なのだ。いつも自室で書物を読み、時折、庭に出て花の手入れをしている静かな人だ。ゆえにそれまで、親しく言葉を交わす機会もなかったほどで、横顔や後ろ姿しか見ていなかったような気がする。

「孝に悖るって、また、お父っつぁん、ややこしいことを」

仙太郎はひとしきり愚痴り、登美にお鉢を回した。

「おっ母さん、どうします」

「見舞いに来た親戚に、余計なことを言われても困るし。親戚は世間様の窓口みたいなもんだから、すぐに噂が広まってしまう。仙太郎、何とかできないのかえ。女中らの手はいくら借りてもいいんだから。介抱の差配さえ、お前がすれば」

「女中らを差配するのも面倒なことですよ。まいったなあ」

と、仙太郎がふとお咲を見た。

「そうか、お前だ」

「え」

「お前がやればいい。あたしの名代で」

「名代、ですか」

戸惑って口ごもった。介抱なんぞ何をどうすればいいのか、まるでわからない。ところが登美が「妙案だね、それは」と、小膝を叩いた。

「あんたがやりなさい。仙太郎の女房としては不足だらけなんだから、せめてこんな時くらい役にお立ち。お前様、そうさせていただきますよ」

すると仁左衛門はまた目を閉じて、「結構」と言った。患って長いので声は掠れていたけれど、はっきりとした答えようだった。

そして隠居部屋に移ってから、お咲は初めて仁左衛門の人となりに触れることになったのだ。

世話を受けながらも仁左衛門はどこか堂々としていて、笑う時、目尻にそれは綺麗な皺を寄せた。あれは、心にゆとりがある人だけが見せられる笑み方だったと思う。

夏は日が暮れても蒸すので、お咲は仰臥する仁左衛門に付き添い、団扇で扇ぎ続けた。

すると庭に向かって顔を動かし、ふと呟いたりする。

「夏は夜。月の頃はさらなり」

その言葉につられて夜空を見上げれば、さやかな風が渡った。

「闇もなお、蛍の多く飛び違いたる」

むろん庭に蛍の姿があるわけでなし、耳慣れぬ響きの文言であったけれど、その風景を思い浮かべることができた。

「夏は夜……月の頃は」

口の中で呟くと、その世界に遊ぶことができる。お咲は仁左衛門が次は何を教えてくれるのか、楽しみになった。一緒に庭を眺め、鳥の声に耳を澄ませ、季節ごとに変わる空の色や雲の形であれこれと喋った。

そしていつしか、忘れていたのである。冷淡な亭主と権高な姑に傷つけられる毎日に耐え、嫁いできたことを心底、悔む気持ちを忘れ、解き放たれていた。

お義父さんはもしかしたら、あたしを見るに見かねていたのかもしれないと、今頃、そんなことを思う。

だからあえて強く出て、あたしを隠居部屋に連れてきてくれたんだ。

居場所を用意してくれた。

㐂作の肩が冷えていることに気づいて、乾いた手拭いを掛けた。

「すみません、ぼんやりとしちゃって」

銀の猫を守り袋にしまい、㐂作の腋に自らの首を入れる。尻を持ち上げて広縁に坐らせ、躰を手早く拭って洗い立ての帷子を着せた。問いには答えぬままだったけれど㐂作が再び訊ねることはなく、さっぱりとした顔つきで庭を眺めている。お咲は盥を片づけて辺りを拭き、㐂作の背中を支えるようにして並びに坐った。

また、ほととぎすが鳴いた。つと、㐂作の横顔が動いた。

「しわがよる」

「ご隠居。今、しわがよるとおっしゃいましたか」

㐂作は少し頬を持ち上げる。

「しわがよる、ほくろができる、せはちぢむ」

ひどくゆっくりな言いようで呂律もちゃんと回っていないけれど、聴き取れた。覚えがあるからだ。仁左衛門がよく口にしていた歌で、昔のお人が詠んだ狂歌であると教えられた。

「頭ははげる、毛は白くなる。手はふるう、足はよろつく、歯はぬける、耳はきこえず、目はうとくなる。身におうは頭巾えり巻、杖、眼鏡、たんぽ温石、しびん孫の手」

お義父さんは寝ついてからも、これに剽げた節をつけて唱えていたっけ。可笑しくてたまらぬように、でも朗々と。

「くどくなる、気みじかになる、愚痴になる、心はひがむ、身は古くなる。聞きたがる。死にともながる、淋しがる、出しゃばりたがる、世話をしたがる」

㐂作は古い糸を手繰(たぐ)るように、後を続ける。どこまで思い出せるか、声が続くかどうかをたしかめている。己の老いをたしかめている。

「又してもおなじ咄(はなし)に、子をほめる……達者自慢に、人はいやがる」

とうとう、最後まで行きついた。苦笑いを浮かべ、左の手を首筋に当てている。

翌朝、注文の奉公を終えたお咲が挨拶をすると、㐂作は「また、遊びに来い」とばかりに片頬を吊り上げた。その偉そうな素振りが嬉しくて、「はい」とうなずいた。この三日の間、女将はここに一度も顔を出さなかった。

三

いつもより介抱先で時を喰ってしまい、昼前の日本橋通りを早足で歩く。もう七月、秋の初めであるが、行き交う人や店先はまだ夏の名残りを残しているかのような賑わいだ。ふと、自分の家の軒下に風鈴を吊るしたままになっていることを思い出した。

㐂重のご隠居、達者でいるかしらん。

風鈴はもとはといえば、㐂作のために買い求めたものだった。てっきり、そう遠くない日にまたお呼びがかかると、思い込んでいたのだ。が、㐂重からの依頼は初めの一度きりで途絶えた。

「珍しいことがあるもんだ。お咲が一度入ったら、皆、次を競うように頼んできなさるもんだけど」

「まあ、ふだん世話をしている旦那が家を空けるからって、そんな理由だったからなあ」

鳩屋の夫婦は当てがはずれたようだった。お咲も、自分の世話が行き届かなかったのか、それとも㐂作の身に何かあったのだろうかと案じたりしたが、やがて忙しさに紛れてしまっていた。

豊島町の角を曲がって一町も歩かぬうちに、鳩屋の小豆色の暖簾が見えてくる。寝不足の身には陽射しが眩しくて、畳んだ手拭いを眉の上にかざした。すると目の端に何かがひっかかって、思わず手を下ろす。白地に芙蓉花の青や赤を散らした、まるで娘のように派手な色柄の日傘が往来を横切ったのだ。おっ母さんもたしか、あれに似た物を持っていたと思いながら、その女の姿を目で追った。すらりと足の長さがわかる後ろ姿が、簪屋の店先で止まった。

おっ母さんだ。え、こんなとこを歩いてるなんて、何用なのよ。

行き交う男らが何人も佐和を見て目を瞠り、振り返っている。佐和は気に入る品がなかったのかぷいと店先を離れ、往来に並ぶ呉服屋や小間物屋、袋物屋をぶらぶらと覗いているかと思うと、今度はこっちに向かって歩いてくる。お咲は咄嗟に薬種問屋の看板の陰に身を隠して、行き過ぎるのを待った。

やけに胸が騒いだ。今は小遣い銭しか渡していないので、昔のような買物はできるはずがない。むろん、節季払いで反物を運んで来るような呉服商も裏長屋には足を踏み入れない。

お咲ははっとして駆け出した。息せき切って鳩屋に入ると、五郎蔵とお徳が長火鉢の前にいる。板ノ間に湯吞が一つ残っているのが見えた。

「来たの」

訊ねると、夫婦は黙ってうなずいた。

この鳩屋の暖簾を初めてくぐった日、お咲は夫婦にすべてを話していた。女中は他人の家に入って働くのだ、口入屋がその身の上を知らないでは奉公先との仲立ちはできない、そう説かれたからだった。

佐和は仁左衛門に、金子を無心していたのである。仁左衛門はむろん誰にもそれを黙っていたけれど、寝ついた後にまた佐和が訪れたことで姑に知られることとなった。そしてお咲は離縁された。

お咲が何よりもこたえたのは佐和のせいで恥をかいたことでも亭主や姑に罵倒されたことでもなく、介抱すべき仁左衛門の枕許を去らねばならないことだった。

いろんな女が出入りしているだけあって、夫婦はお咲の話に驚きも同情もしなかった。お徳が煙管の雁首を長火鉢の上にかざし、音を立てて中を捨てた。

「あんたの給金のね、前借りに来たのさ。いや、安心おし。こっちもね、出せと言われて、はい、さいですかなんて銭箱に手をかける素人じゃない。けどまあ、あのお人も顔に似合わずくどいねえ。泣き落としが駄目とわかりゃあ、今度は愚痴責めだ」

佐和がここでどんな顔をして何を言い散らしたのか、目に見えるような気がする。お咲がいかほど冷たい娘で、口を開けば厭な言葉を吐き、もしかしたらろくにご飯も食べさせてもらえない、こうなれば自分は飢えて行き倒れるしかない、いや、どこかに借金があるなんて嘘だって、平気で繰り出す。

「それはそうと、お咲、あんた、別れた亭主に返してるって、あれ、もう済んだのかい」

やはりそうだ。お咲が半年ごとにまとまった金子を仙太郎に返していることを、佐和は己の苦労のように話したに違いない。

「ううん、まだ残ってる」

佐和が仁左衛門に無心した金子の高がいったいどれほどだったのか、本当は誰にもわからない。仁左衛門は「あれはあたしの手持ちから佐和さんに差し上げたものだ。返してもらう謂れはない」と言ってくれたけれど、仙太郎は三十両もの貸借証文を用意していた。

今のお咲なら談判の一つもしたかもしれないが、あの頃はただただ母親の行状が恥ずかしくて、言われるがまま証文に名を記し、親指の腹に墨をつけて捺した。いつまでもそれが残って、指先が長らく黒ずんでいた。

「まあ、そんなとこに坐ってねぇで、上がりな」

五郎蔵に言われて、自分が上がり框（がまち）に腰かけたままであることに気づいた。

「うん。でも、もう帰らないと」

帰って家を片づけ、佐和に飯を食べさせ、それからお咲はやっと湯屋に行ける。けれど今日はもう躰が動かない。あの菊坂台町の緩い坂道が途方もなく、きつい坂に思える。帰りたくない。佐和の、あの凄いほど綺麗な顔を目にしたら何かを言ってしまいそうだ。

おっ母さん、お願いだからいなくなって。あたしの前から消えて。

鳩屋の夫婦に背を向けて腰掛けたまま、俯いた。

「お咲、こんな時にすまないんだけど」

お徳の声がして、慌てて手の甲で目尻を拭う。

「夏に天神下の料理茶屋で介抱したろう。たった三日、𠮷重っていう家。昨日、あすこから遣いが来てね、どうでも来てくれって。まったく、いつだっていきなりなんだから」

「ううん、行くよ。あたし今からだって大丈夫だから」

𠮷作にまた呼ばれたことが、無性に嬉しかった。

「いや、それが介抱のお頼みじゃないんだよ。あたしらも一緒にって言われててね」

五郎蔵とお徳が、じっとお咲を見返した。

㐂重の隠居部屋に入ると、主の重兵衛とその女房が目を吊り上げていた。

五郎蔵とお徳は渡された紙に順に目を通し、お咲に回してくる。手に取ると、それは証文だった。倅、重兵衛に身代を継がせる代わりに㐂作の老後の世話をする、そんな文言で、二人の名の下には判まで捺いてある。

「で、この約定を守らないから、お奉行所に訴えて出る。ご隠居はそうおっしゃっておいでなんで」

五郎蔵が訊ねると、重兵衛が「そうみたいですよ」と吐き捨てるように言った。

「こんな躰だから何を言ってんだかわかんないんですけどね。証文を出してきて吠え立てるもんだから、ああなのか、こう言いたいのかってずっと問い続けてね。それでやっとうなずいたのが、倅のあたしを訴えるってことで。もう呆れるやら、情けないやら」

女将も赤い口をへの字に曲げている。

「だいたいね、血のつながった親子でこんな証文を交わすってこと自体、どうかしてんですよ。だからあんなに反対したのに」

「また、それを蒸し返す。だから親父は疑り深いんだよ。昔っから堅物の頑固者じゃないか、言い出したらきかないのはお前も知ってんだろう」

そして重兵衛は、五郎蔵とお徳に向き直った。

「ご覧の通り、親父はこの離れで、上げ膳据え膳の暮らしでね。倅のあたしが毎日、世話をしてますよ。いったい何の不服があって訴えるだなんて考えつくんだか、我が親ながら肚（はら）の底が知れない」

「お義父っつぁんは意地が悪いから、つけ込んでなさるんだよ。うちは客商売だから、𠀋重は親不孝だなんて噂が流れでもしたら商いに障る、それをわかっててこんなものを引っ張り出して。おたくらも、今日、ここで耳にしたことは一切、外で口にしないでおくんなさいよ」

女将が鼻に皺を寄せるたび、厚い白粉がよれる。

当の𠀋作はまたも床の間の中に陣取っていて、けれど壁にもたれているわけではなく、少し前屈みになって左手に握った杖で身を支えている。両の眼（まなこ）にも力があり、重兵衛夫婦に目をやるたびその光が増す。

「お言葉を返すようですが」と、お徳が口を開いた。

「いかな鳩屋だからって、ぽっぽぽっぽと天下の往来で余計な口を叩いたりしませんよ。けど、そんなお身内の揉め事に何であたしらが呼ばれてんです。言っときますが、あたしらお奉行様じゃないんだから、お裁きなんてできゃしませんよ」

皮肉混じりに返したので、女将が眉を弓なりにした。

「あんたらなんぞに、そんなこと望むもんですか。違いますよ、そこの介抱人がお義父っつぁんに何を吹き込んだのか、それを糺（ただ）すのに呼んだんですよ」

「吹き込むって、どういうことですか」

お咲が問い返すと、倅の重兵衛が苛立たしげに嚙みついてきた。

「あんたが来てからなんだよ、うちの親父がおかしくなっちまったのは」

「どう、おかしいんですか」

「膳を置いたら唸るし、あたしが立ち上がったら吼えるし、湯帷子を勝手に脱いで素裸になっちまうし。ともかく、前はほんと聞き分けが良かったんだよ。躰が思うようにならないからたまに苛立って物に当たったりすることはあったけどね、あんたのおかげで親父はおかしくなったんだ。とち狂っちまった」

　重兵衛は決めつけて、薄縁畳の端を叩いた。そこには汚れた帷子と搔巻、手拭いが堆く積み上げられている。七作はおそらく重兵衛に膳のことを気づいてほしくて唸り、もう少しそばにいてほしくて吼え、行水を使わせてほしくて着物を脱いだ。

　お咲はそのことに察しがついたけれど、重兵衛は自棄のように畳を叩き続ける。

「本当にもう、いつになったら楽になれるんだ。おっ母さんを看取ったと思ったら今度はお父っつぁんが中気で、何年も何年もその世話にかかりきりで。もうほとほと、疲れましたよ。あたしの方が先に逝っちまいそうだ」

　すると女将が、鼻を鳴らした。

「また、それだ。自分だけが苦労を背負い込んでるみたいな言い方をして」

「じゃあ、何か。お前が一回でも助けてくれたことあるのか。茶の一杯でもここに運んできたことがあるのか」

「あたしは店で手一杯じゃないか。身がいくつあっても足りないほど忙しいこと、お前さんだって知ってるだろう」

「どうだかな。座敷で客と馬鹿笑いしてる時も多いじゃないか」

「あんただって、この離れにろくすっぽいないじゃないか。裏からこっそり抜けて、湯屋の二階で将棋指して昼寝してるの、あたしが知らないとでもお思いかえ。あたしが資金繰りに困ってようが板場で悶着が起きようが素知らぬ顔してあくびして、商い仲間の寄合にだけは旦那面して出て行くくせに。まったく、親孝行ってのは強いよね。誰にも文句をつけられないんだから」

すると重兵衛が唇をわななかせ、己の胸を叩いた。

「と、年寄りの世話ぁしたことのないお前に、何がわかる。湯屋に通わないと、臭いがしみついちまうんだよ。年寄りの苔臭さは洗っても洗っても、落ちないんだよ」

「臭いが何だってぇの。ほんと、お前さんのその、自分だけが大変だ、可哀想だなんて言いようを聞くたび、馬鹿らしくなるんだよ。お前さんが親孝行してる間、いったい誰がこの㐂重を切り盛りしてると思ってんのさ。お義父っつぁんもね、ちっとは弁えておくんなさいよ。あんなしょぼくれた茶店のままだったら、こんな結構な隠居暮らしはできるはずもないんだから。それはいったい、誰のお蔭なのさ」

五郎蔵とお徳は「とんだ親孝行だ」と、呆れ顔だ。お咲はふと感じて、正面の㐂作に目をやった。左の頬がにやりと動いたような気がした。

「ご隠居さんも何か、おっしゃりたいことがあるんじゃないんですか。もうこんな按配なんだから、いっそ吐き出しちまったら」

　すると重兵衛が血相を変えた。

「あんたねえ、三日とはいえ介抱したんだからわかってんだろう。うちの親父に喋れと言ったって、無理なんだよ」

「いいえ。ご隠居さんはちゃんと話せますよ。言葉がままならないのがご自分でも厭で、口を開かなくなっておいででしたけれど」

人は誰とも話をしない日が続くと、声が出にくくなる。やがてあきらめて、言葉を忘れる。

「そんなはずはな……」

　重兵衛は言葉を吸い込んで、床の間を見やった。七作の左の口許がゆっくりと上下する。

「おもしろい」

　重兵衛は目瞬きもせずに父親を見つめ、やにわに立ち上がって腕にとりついた。

「お父っつぁん、何だい。何が面白いんだい」

　やはり、重兵衛は父親の言葉を聴き取ったのだ。女将と鳩屋夫婦はわからなかったようで、互いに顔を見合わせている。が、お咲の耳には、その後に継がれた言葉もしっかりと響いた。

「ほんね。本音は面白い、もん、だ」

お咲は帰りがけに青物(あおもの)屋に寄って真桑瓜(まくわうり)を買い、ゆっくりと坂を上る。魚の振り売りが通りがかれば浅蜊(あさり)か鰯(いわし)でもと思うのだけれど、そう思う時に限って出くわさないものだ。

――本音は面白い。

「あのご隠居、倅夫婦の気を自分に向けさせたくて訴状(そじょう)騒ぎを起こしたんだね」

鳩屋夫婦は道々、そんなことを言いながら「疲れた」と零し通しだった。

㐂作は喋りたいのに耳を傾けてもらえず、歩きたいのに背を向けられて、だんだん倅夫婦の心が見えなくなった。遠くなった。それじゃあどうしたらいいのだと考えて、波風を立てたのだ。

そしたら思った以上の本音が飛び出した。誰かにわかってほしくて、でもずっと蓋をしてきた倅夫婦の本音が。それは決して耳ざわりの良いものではなかったが、それでも㐂作は面白くて、笑ったのだ。

心はひがみ、身は古くなる。聞きたがり淋しがり、出しゃばりたがる、世話をしたがる。

㐂作は出しゃばって、世話をしたかったのかもしれない。

「お見受けしたところ、ご隠居さんはこれからもっとお喋りになれますよ。躰だって」

お徳は㐂重一家にそう請け合ったものだ。五郎蔵も「さいですよ」とうなずく。

「手に余る時はこのお咲がお手伝いしやすから、どうぞいつでも呼んでやってください」

　すると女将の顔が途端に、商売人のそれに戻った。

「でもね、三日の介抱料が朝夕の飯付きで三貫文ってのはあんまりだ。もうちょっと考えとくれよ」

　お咲は呆気に取られたものだ。お咲の受け取りは一日あたり六百文、大工とほぼ同じ稼ぎではあるが、鳩屋がまさか一日四百文もの口入料を上乗せしていたとは恐れ入る。

「もう、この口はっ」と、五郎蔵はお徳に頬をつねられていた。

　甚兵衛店のどぶ板を踏むと、何かが足許を横切った。猫だ。

へえ。珍しい色してる。

　お咲は瓜を持ったまま、膝を折って屈んだ。その猫はなめらかな灰色で、陽射しの中で時折、その毛先が銀色に光る。

　お咲は懐の中にいる猫に手を当てた。

　仁左衛門がこの根付をくれたのは、婚家を去る朝だった。

「申し訳ありません」

　手をつかえて詫びると、仁左衛門は床前にある小簞笥から袱紗(ふくさ)包みを出すように命じ、自らの掌からお咲の掌へとのせてくれた。

忘れないよ。

ただ一言、仁左衛門はそう呟いた。「忘れないでおくれよ」ではなく、不出来な嫁だったお咲を「忘れない」と言ってくれたのだ。

随分と恢復していたはずの仁左衛門がその後、一年も経たずに亡くなったことを知ったのは、鳩屋で女中奉公をするようになってからのことである。

そしてお咲は介抱人を始めた。

「ぽち、どこ。ぽち」

下駄の音がして、佐和が現れた。お咲を見るなり立ち止まって、いつもの「遅かったねえ」を口にするのも忘れているようだ。今朝、自分が鳩屋に何をしに行ったのか、それをお咲が知っているかどうかを探っている目つきだ。

ほんとにこんなに綺麗な顔をして、中身が丸見えなんだから。

「おっ母さん、ぽちってあんまり猫につけない名だよ」

「そうかえ」

お咲の物言いに安堵したのか、佐和は頬を緩めて猫を呼ぶ。煮干をやっている。お咲はその姿を見ながら立ち上がって、今夜は外で食べようかと思いついた。いつも疲れ切っているのに自らを奮い立たせて包丁を持ち、二人で膳を囲む時は物を言うのも億劫だったのだ。

佐和の言葉にちゃんと相槌を打ったのはいつだったか、憶えていない。

うん、ちょっと贅沢をしておいしいものを食べよう。夜はもう肌寒いから、お銚子を頼んでもいい。

たまには、そんなこともいい。

そう決めると、懐の銀の猫が大きく伸びをしたような気がした。

隠居道楽

一

小舟の上で、お咲は生唾と溜息を同時に呑み下した。

あと三日、あと三日の辛抱だ。小舟の縁を掴む。介抱人の仕事でまさか秋釣りの供までさせられるとは、思いも寄らない。

おぶんは元気満々で釣り糸を垂れている。肩も背もむっちりと太り肉で、頬の色艶などとても六十すぎの女隠居だとは思えない。しかも口調が伝法なら、人使いも滅法、荒い。

「ちょいと。餌をつけとくれ」

「はい、ただいま」

ふえぇ、また蚯蚓だ。閉口しながら、餌壺の中に手を突っ込む。うねうねと身をよじって嫌がるのをやっと鉤に通したと思ったら、「ちょいと。咽喉が渇いた」、次は「小腹が空いた」と、息をつく暇もない。舟の中でこうして何度も俯いたり振り向いたりしているうちに気持ちが悪くなってきて、生唾がこみ上げてくる。

「ちょいと。焙烙」

　おぶんがまた催したらしく、「ただいま」と返事をしながら半身をよじり、背後の隅に置いてあるそれを持ち上げた。焙烙は素焼きの小さな土鍋で、おぶんが持ち込ませた物には蓋がついている。釣りを楽しむ女はたいていこうした類を用いて済ませるらしいのだが、おぶんがやたらと水気を口にするので、これでもう三度目の小用だ。

中身が零れぬように蓋を外すと、もう裾前を開いて待っている。お咲は膝と膝の間に焙烙を差し出した。と、勢いのよい音が迸る。おぶんは船頭に背を向けてしゃがんでおり、裾を尻までからげているわけでもないのだが、お咲はつい気が差して船尾に目をやる。が、船頭は女の釣客のこうした振舞いに慣れているようで、端唄を口ずさみながら水棹を遣っている。

　と、おぶんが大きな声を上げた。

「ちょいと、引いてる。引いてるじゃないか」

　叫びながら裾を下ろして膝を回し、舟縁に立てかけてあった竿をがっしと手で押さえた。身ごなしの素早さに呆気に取られていると、おぶんは太い声を荒らげる。

「逃げられちまった。まったく、お前がまごまごしてるから」

「すみません」

んもう。魚の面倒まで見られやしないったら。

「やだねえ、その詫び方。首をひねりながら頭下げられたって、こっちにはぴくりとも響きゃしない」

また小言八百だ。おぶんの一重瞼の奥は黒目が小さくて、気を損ねると、何とも意地の悪い目つきになる。

「ほんに近頃のおなごは何でも上の空で、なっちゃいないね。あたしが若い時分にはね、手と口を動かしながら方々にも目配りしたもんさ。一つのことだけ順にやってたら、日なんてすぐに暮れちまうんだよ」

あたしのやることなすことに目ぇ光らせて。これじゃあ、どっちがお目付け役かわかりゃしない。

お咲は懸命に神妙な面持ちを作りながら、内心でまた「あと三日」と呟いた。あと三日こらえさえすれば、おぶんから放免される。

ところがその一日一日が、途方もなく長い。朝から晩まで、たとえ相手が一人の老女といえども、誰かから目を離さないというのはひどく疲れるのだ。いつもの介抱仕事の方が躰は使うけれど、年寄りが横になっている間に周囲を片づけたり襁褓を洗ったりと、自分の段取りで動くことができる。ところが口も躰も達者極まりないおぶんは、あり余る力をお咲の一挙手一投足に注ぎ込んでくる。

お咲は疲労困憊していた。

鳩屋に商家の女房らしき客があったのは半月前、盆過ぎのことだった。

お咲はちょうど通いの介抱から鳩屋に戻ってきたところで、奉公帳を開いてこの三日、どんな介抱をしたかを書きつけていた。隠居の躰の具合や恢復具合、身内の様子までも書きつけておき、他の介抱人が引き継ぐ場合に役立てる。

鳩屋で介抱をもっぱらとする女中はお咲を含めて五人いて、それぞれが何軒かの介抱先を受け持っているが、一人の介抱人がずっと同じ年寄りを看ることはほとんどない。さまざまな理由で身内での介抱に戻す家も多いし、先方から「介抱人を代えてくれ」と言われることもあるので、誰がどの家にでも入れるように記しておくことになっている。

お咲は自身がかかわった年寄りの様子が気になって、加賀屋の名を探して見てみる。

加賀屋の隠居の元へはおつねが通うことになったがすぐにお役御免となり、今は別の者が入っている。風邪をひいたのがきっかけでまた寝間にいる時間が増え、とても杖を持って歩けるところまでには至っていないようだ。

近頃は粥もほとんど口にしていないことが奉公帳から知れて、気にかかる。見舞いに行きたいと思いながら果たせぬままだ。毎日、奉公と家のことどもで精一杯なせいもあるが、先方への遠慮もある。当人の隠居は喜んでくれるだろうが、身内は前の介抱人が顔を出すことをどう捉えるだろうと考えてしまうのだ。隠居が「お咲を来させろ」と言い出しでもすれば、それも厄介だ。身内からすれば、隠居の我儘になる。

㐂重の隠居、㐂作は右の半身がかなり動くようになり、主の重兵衛が外出をする際にだけ介抱の依頼が入るようになった。その日数がどんどん間遠になっていることに、少し気持ちが明るくなる。「おい、肩を貸せ」「また、偉そうに」などと父子で言いたいことを言い合う、そんな様子が目に浮かぶからだ。

「こちらは、介抱人さんをお世話くださると聞いてきたんですが」

　客は深川佐賀町で干鰯商を営む、相模屋の女房だと言った。

「ええ、さいでございますよ。親御さんの介抱をお手伝いする女中でしてね。泊まり込みでも通いでも、お身内同様の心持ちでお仕えしますもので、いずかた様にも喜んでいただいております」

　お徳がほくほくと愛想良く話を受けると、亭主の五郎蔵もその隣で坐り直した。客は派手ではないが金目のかかった身形をしていて、夫婦はさっそく商売っ気を出したようだ。

　お咲は膝の上で奉公帳を閉じ、こっそりと肩をすくめた。

　鳩屋夫婦はまず当たり障りのない世間話を交えながら、相手の事情を聴き出すのが常だ。親の面倒をいったん依頼しておきながらやはり気が咎めると言って反故にする客も少なくないので、まずは気を安んじさせるのが先決なのである。

「寝たきりともなりましたら別でやすが、身の回りの世話はやはり女手の方が行き届くものでございやすよ。おなごの手ってのは、優しゅうございやすからねえ」

五郎蔵が両の掌を揉みながら話すと、お徳が「さいですよ」と言葉を継ぐ。

年寄りの介抱を担っている者の大半は一家の主、つまり男たちで、それは町人も武家も同様だ。そこで、鳩屋に依頼が舞い込む。躰を拭いたり腰をさすったり、着替えや薬湯を呑む介添えなどもちょっとした気遣いが違うと喜ばれて、方々から引き合いがある。

もっとも、それが五郎蔵の言うおなごゆえなのかどうか、実のところはお咲にもよくわからない。むしろ介抱人が他人で、それを生業としているからできることも多いのではないかと思うことがある。

「それが、うちのおっ姑さんはどこも悪くないんです。それでもお頼みできましょうか」

「お達者なんですかい」

「ええ。還暦をすぎたばかりで、風邪も滅多とひきません」

「はて。患ってもいねぇのに、介抱人のご用命とは」

お咲も驚いて、相模屋の女房に目を移した。

「それが、あまりに道楽が過ぎて手に負えないんです」

「どう、ら、く」

五郎蔵が鸚鵡返しにすると、女房は眉間を曇らせた。

「道楽なんてまるで縁のない、堅い人だったんですが」

女房が言うには、相模屋は十年前に亡くなった先代がわずかな元手で始めた商いだそうだ。干鰯は金肥と呼ばれる肥料だが、相模屋は安価な品揃えに力を入れた。土間の隅に溜まった干鰯の屑や粉を綺麗に掃き集め、買い求めやすい袋詰めを用意したのである。それが江戸はもとより近在の百姓や植木屋に受けて、今の身代を築くきっかけになったという。

「袋詰めを思いついたのはうちのおっ姑さんだそうで、ですから無駄な物なんてこの世には無いが口癖で。塵芥箱を覗いては中身を拾い上げて、女中が魚の骨を捨てていようものなら私が大目玉をもらいました。とんでもない贅沢だ、これは擂粉木で砕いて粉にしたら味噌汁の出汁になるって、一事が万事、そんな調子の人だったんです」

「はあ、そりゃまた、ご苦労でやすねえ」

五郎蔵が気の毒そうな声を出した。

「でも、ちょうど一年くらい前になりましょうか。急に、清元や三味線のお稽古に凝って出歩き始めたんです。最初はうちの人も芸事の一つや二つは習ってた方がいい、風流じゃないかって笑ってたんですが」

そしてこの女房も、ほっとしたことだろう。口うるさい姑がたまに外出をしてくれたら、せめてその間だけでも気を抜ける。お咲も、姑の苦労は身に沁みている。

「でも、そのうち毎日毎日、家を空けるようになって。これは尋常じゃないと気づいた時には、清元と三味線だけじゃなく、鼓に踊り、俳諧、狂歌、書や茶の湯、果ては素人狂言にまで手をつけていました。もともと負けず嫌いな人ですからお師匠さんへの束脩も付け届けも人並みじゃ気が済みませんし、温習会に出るともなれば着物や帯もそれはいい物を新調します。素人狂言なんぞ衣装や鬘を作るだけじゃありません、芝居小屋を自前で借り切って披露するんです」

「豪気なお方でやすなあ」

五郎蔵は呆れ半分に感心しているが、女房の面持ちはますます沈む。

「そんな道楽はすぐに町の噂になりまして、親戚が心配いたしまして。今のうちに何とかしないと、隠居料を遣い果たしちまうんじゃないかって意見されました。ええ、うちの人もとうに案じていたんですが、あたしの隠居料をあたしがどう遣おうがとやかく言われる筋合いはないって、まるで聞き入れてくれません」

町人の場合、自らの隠居暮らしに必要な金子を手許に残して跡目を譲るのが尋常だ。ゆえに気随気儘に老後の道楽にいそしむことができるのだが、その女隠居の場合はやはり度を越しているようだ。

「どうにもできないまま日を過ごしているうちに、おっ姑さんが夜更けになっても帰ってこない日があったんです。さんざん心配して大騒動になって、火消しさんらにもお願いして深川じゅうを探し回ってもらいました。そしたら本人は涼しい顔をして朝帰りでした。聞けば、広小路の寄席で気に入った噺家がいて、吉原につれてって一緒に遊んできたって言うんです。ご近所にお詫びして回るのに丸一日かかったほどで、身も縮む思いでした」

それで「もうこれは捨て置けない」と、相模屋の主は女中に言い含めて見張りをさせるようになったという。

「でも、どの女中も太刀打(たち)ちできませんでした。近所の湯屋についていってもいつのまにか撒かれてしまって、女中だけが帰ってくるんです。それで私やうちの人が交替で見張るようになったんですが、もう、ほとほと疲れました。うちの人はいつまでもおっ姑さんに張りついていてられないと愚痴りますし、私もまだ幼い子を抱えておりますもので」

女房は細い息を長々と吐いた。

「それで、ご隠居さんのお目付け役を介抱人に、というお頼みでござんすね」

お徳がたしかめると、五郎蔵が半畳(はんじょう)を入れた。

「けど、年寄りを見張るだけの仕事に介抱人を雇うってのは、ちと、もったいないんじゃございやせんかね。うちには通い奉公するおなごもたくさんおりやすから、気丈なのを選(よ)って」

と、五郎蔵が「あ痛っ」と尻を浮かせた。お徳につねられたらしい。が、お徳は素知らぬ顔で、女房の膝に手を置いた。

「そういうご隠居さんなら、年寄りの扱いに慣れた介抱人の方がようござんす」

「やはり、さようですか。私ももしやと思ってお訪ねしてみたのですが」

「ええ、介抱人ならきっとお役に立てましょう」

お徳はそこでいったん息を継ぎ、

「ただ、夫婦や嫁姑と同じで相性ってものがござんすから、まずは十日間だけ、そのお目付け役を引き受けさせてくださいまし。お気に召さなかったら人を代えるも良し、またいろいろとご相談に乗らせていただきますよ。年寄りのことは何でも、この鳩屋におまかせになって」

最後に親身な声音を使ったのが効いたのか、店を出る時の女房の顔には微かな安堵が浮かんでいた。

介抱料についての話になるとお徳は途端に声を潜め、見れば筆を持って紙に書き、「いかがでござんしょう」とやっていた。

そういえば秋に㐂重に呼ばれた日だったか、鳩屋が相手の懐具合や切羽詰まり具合で介抱料を変えていることをお咲はたまさか知ることになった。お咲らの受け取りは一定なので、鳩屋の口入料は客との交渉次第で旨みが変わるわけだ。

帰り道、「相手の弱みにつけ込んじゃって」とお咲が呆れていると、お徳はこう嘯いたものだ。

「貧乏人にはわからないだろうけど、ひと月に十貫文払える家は十五貫文でも大差ないのさ」

暖簾の向こうで相模屋の女房の気配がなくなってから、お徳は五郎蔵を「この、とんちき」と叱り飛ばした。

「客が端から介抱人を望んでんのに、何でもったいないとか言うんだよ」

「けど、婆さんを見張るだけだろう。……と、待てよ。そうか、おつねに行かせる肚(はら)か」

「無理無理。おつねなんぞ半日で追い返される」

たしかにおつねには愚図なところがあって、介抱先をしくじることもしばしばだ。けど、そんなら他に誰を行かせるのだろうと思いながら奉公帳を柱に掛けると、お徳に手招きされた。長火鉢の前に移って膝を畳むと、「あんた、聞いてたろ」と来た。

「え、あたしなの」

訊き返すと、五郎蔵が「そいつあ、もったいない」とまた蒸し返す。

「達者な道楽婆さんに何もお咲をつけるこたあ、ないや。ただでさえお咲を寄越してくれってぇ家が増えてんだぜ。他の者で間に合う家は、指名がない奴を行かせた方が分(ぶ)もいいじゃねえか」

鳩屋は客から介抱料が入るつど口入料を差し引いて介抱人に支払う仕組みなので、皆が隈(くま)なく働けば働くほど実入りが増える。

「だからお前さんは浅はかだっつうんだよ。相模屋の隠居の歳を聞いたろう、まだ六十すぎだよ。今からつながりを作っとけば、これから長いつきあいを願えるじゃないか」

五郎蔵は首を傾げているが、お咲はそうかと腑に落ちた。先月、介抱先の年寄りが三人、立て続けに亡くなったのだ。八十八、九十、九十三の大往生だった。

「ねえ、先々のことを考えて、あたしなの。もしかして」

「当たり前じゃないか。うちは商いでやってんだからね。いろんな年寄りを数ヵ月ずつ介抱するのも大事だけど、五年、十年先のことも考えて今から打てる手は打っとかないと。深川近辺の客は初めてだし、うまくすりゃあご隠居の稽古仲間だって取り込める」

「お前(め)ぇって奴ぁ、抜け目がねぇなあ」

　するとお徳は、目玉をぐるりと回す。

「人聞きの悪いことをお言いでないよ。この鳩屋が潰れたら困る人が、どれだけいると思ってんだい。うちはね、何が何でも潰れるわけにはいかない、そういう商いをしてんだよ」

　お徳の言葉にうなずいて仕事を引き受けたものの、どこかで予感はあったのだ。口八丁手八丁の女隠居のお目付け役なんて、一筋縄ではいかないのではないか、と。

　そして厭な予感ほど当たる。初めて相模屋に入った日から、おぶんは余裕綽々(しゃくしゃく)だった。

「へえ、介抱人なんて奉公があるんだねえ。世の中も変わったもんだ。まあ、いいよ、気楽におやり。そうそう、せっかくだから今日は祝儀だ。とっくりと聴かせてやろう」

　おぶんは撥(ばち)を手にするや、三味線を弾き始めた。それが恐ろしく調子っぱずれなうえ、延々と続く。一日じゅうやられて、夜更けまで耳鳴りが止まらなかった。そして二日目は蒲団の綿替えにこき使われ、三日目は隠居家の大掃除だ。嫁が零していたように逐一、己のやり方を通し、まるで虫のように小言がまとわりつく。

しかもおぶんは胃の腑に軽くとの考えで、日に七度の膳をする。日の出と共に起きるとまずおめざで、湯屋で躰を磨いてから朝餉、昼前には茶の子をつまんで昼餉の後にはお八つ、夕餉をしてから寝るまでにまた夜食を少し。そのつど、母屋から運んできた女中にではなく、お咲に「ちょいと」と眉根を寄せる。

「何だい、この干芋の硬いこと。歯が折れちまう」「よくもこんな目刺をお出しだねえ。干鰯屋のくせに目刺の目利きもできないのかえ」

小言に飽きるとそぞろ歩きに出かけるが、近所にも「植木に水をやれ」だの「洗濯物の干し方がぞんざいだ」などと節介口をきくので厭な顔をされる。堀川で釣りをする辰巳芸者を見かけたらわざわざ覗き込んで「餌の接待だ」と厭味を言うから、あやうく喧嘩騒ぎになる始末だ。気の強さを売りにしている姐さんらに頭を下げながら、お咲は気がついた。

道楽を止められた鬱憤を、あたしへの嫌がらせで晴らしている。あたしが音を上げて逃げ出すのを今日か明日かと、楽しみにしているんだ。

だったら、何が何でもこの十日だけは奉公しおおせてやる。

と意を決していたのに、いよいよ吐きそうだ。もう何もかもどうにでもなれと思うほど、気持ちが悪い。

「ちょいと」

顔を上げると、おぶんが釣り竿を持ったまま口を半開きにしている。

「顔の色が悪いね。酔ったんじゃないのかえ」

半笑いしている。お咲は「いいえ」と平静を装って、背筋を立てた。

「何ともありません」

「おやまあ、あんたも意地っ張りだねえ。へえ、そうかい」

おぶんは船頭に顔を向けると、「ちょいと」と言った。

「も少し上に行っとくれ。遊び足りないんだってさ」

「へい」

その瞬間、目が回った。

二

歩きながら、おぶんの小言が続く。昨日も一日じゅう、じくじくとやられたのだ。

「大して揺れてもないのに酔うなんて、見っともないったらありゃしない」

「申し訳ありません。ご迷惑をおかけしました」

あれからおぶんはすぐに舟を川岸に寄せさせたらしく、お咲は気がついたら草原の上で横になっていた。

「まったく。こっちが介抱料をもらわないと割に合わないよ」

「すみません」

「せっかく秋鱚を夕餉にしようと思ってたのに。また目刺かえ」

もともと大して釣果のなかったことまでお咲のせいになっていた。けれど詫びるより他にすべがない。おぶんはお咲の身を支えながら釣り竿と弁当包み、そして焙烙まで抱えて、ちゃんと相模屋まで帰ってきたのだ。一本取られてしまったのはこっちの不覚だ。口惜しいけれど。

それにしてもおぶんの達者さには恐れ入る。今日は昼餉を済ませてから歩きに出たのだが、深川から新大橋を渡り、さらに北を目指している。そぞろ歩きともいえない道のりだが、肥っているにもかかわらず息も乱さない。

「ご隠居さん、どこか当てがおありなんですか」

さりげなく行先を訊ねてみると、「別に」と素っ気ない。ますます厭な予感がする。これまでの八日間はお咲を振り回すのに夢中であったのだろう、無茶な散財だけはさせずに済んでいる。相模屋の夫婦は「いいお目付け役が見つかって良かった」と喜んで、家の中で顔を合わせるたびに礼を言われるのだが、何の、おぶんがこのまま引き下がるとは思えない。最後にどんと大きなのをやらかしそうな気がする。

おぶんはやがて浅草寺の雷門を潜った。参道沿いは随分と人の往来が多く、菊花鉢を抱えて歩く者と何度もすれ違うので、今日はどうやら境内で菊市が開かれているらしい。ひょっとして、人混みに紛れて私を撒く算段かと気がついて、おぶんの背後にぴたりと張りついた。

境内に入ると葭簀囲いの小屋が何十も立ち並んでいて、大層な賑わいだ。線香の匂いに混じって清々しいような香りが漂ってくる。おぶんはいろんな出店を覗いては、また次を巡る。

「さてさて、これが生粋の宝珠菊だよ。一家に一鉢置けば家運繁栄、商売繁盛間違いなし」

威勢のいい呼び込みに惹かれてか、おぶんはひときわ人を集めている店に近づいた。

「ちょいと。通して」

幾重も並んだ背や肘を押しのけるように進むので、お咲はまた方々に詫びながら後を追う。最前列に出ると囲いの中に雛壇がしつらえてあり、客らの熱気でむせ返るほどだ。

「ご隠居さん、これで一両ってのは滅多とない、極めつきのお買い得ですぜ。挿し芽をして増やしてみなせえ、あっという間に元が取れまさあ」

店の男が熱心に勧めている相手は茶羽織をつけて杖を持った小柄な老人で、隣には女房らしき老女が老人の肘をさりげなく支えている。

「どうしようかね、お婆さん。宝珠菊だって」

「立派な仕立てですねえ」

「でも一両かあ。あたしらには手が出ないね」

「そうですねえ」

仲睦まじげに額を寄せ合って思案している。その様子が好もしくて、ひとりでに笑みが浮かんだ。お咲がふだん介抱に向かうのは連れ合いを亡くした年寄りがほとんどで、こんな風に寄り添って過ごす老夫婦の姿をあまり目にすることがない。

「そんな売り文句にうかうかと乗っちゃあいけませんよ」

おぶんの声が響いて、はっと背を立てた。

「これが宝珠菊だなんて、とんでもない。無駄に大きいだけで花弁がまとまってなけりゃあ、葉のつき方もまばらだ。こんなの、悪いこと言わないからおよしなさい」

店の男が眉を逆立てた。

「おい、うちの菊に難癖つけようってのか」

「あ、ああ、ごめんなさい」

お咲は男に詫びながらおぶんの腕を取って連れ出そうとするが、おぶんは土の上に両足を踏みしめて動かない。

「ちょいと。お放しよ。お放しったら。あんたなんぞにはわかんないだろうけど、茎に黴(かび)も付いてんのさ。こんな株は挿し芽をしたってうまく育ちっこないんだよ。鉢だけ立派にして素人を誤魔化して、どんだけ阿漕(あこぎ)なのさ」

「勘弁しねぇぞ、この婆(ばば)ぁ」

男が片袖を肩までまくって、凄んでくる。だがおぶんはまったく動じない。

「ご隠居さん、お願いだからやめてください」

お咲は躰ごとぶつけるようにしておぶんの身を動かし、人垣を掻き分ける。騒動を聞きつけてか人が増える一方で、詫び通しでおぶんを押し出さねばならない。

「ちょいと。何で詫びてんだよ。あたしは本当のことを言っただけじゃないか。あたしが言わなきゃ、あの年寄り、騙されるとこだったんだよ」

おぶんはまだ我を折らないが、お咲は周囲の人に頭を下げながら進む。皆、非難がましい目を寄越すのだ。

「まったく。風情も何もぶち壊しだ」

「あの年寄りだって気の毒さね。見ねぇ、おろおろしちまって」

「そうさ、一両の菊鉢を買うなんぞ、どうせ蔵持ちの物好きだけだ」

いろいろと囁き合う声が聞こえてきて、お咲は首だけで振り返った。老夫婦が肩を落として去っていく後ろ姿が垣間見えた。

皆の言う通りだ。ほんの一時、あれこれ迷うのを楽しんでいるだけだったろうに。

後味の悪さを抱えながら、おぶんの腕を摑み直す。境内の隅に茶店の幟が見えたので、そこに引っ張って坐らせた。渋々と腰を下ろしたおぶんは、茶汲み女にまで剣突を喰らわせる。

「ちょいと。何だい、このお茶は。出がらしじゃないか」

秋だというのに額には汗さえ光っていて、お咲は何だか疎ましくなって目を逸らせた。

年寄りの小言には慣れているつもりであるし、我儘や気性の激しさではもっと上手もいる。ただ、そういった年寄りは病や怪我で躰が思うようにならなくて、その苛立ちが言葉や仕種を荒くしている場合が多い。介抱人はそんな思いのさまざままで身内の代わりに受け止める、それも仕事のうちだと料簡してきた。

だがおぶんはまだ達者で、何の不足もない暮らしがある。こんな恵まれた人がどんな道楽をしようが、もう知ったこっちゃない。

菊の匂いを含んだ風が幾筋も流れて、幟がひらひらと音を立てる。かたわらに目を戻すと、おぶんが市の賑わいを眺めていた。さっきまでの昂奮は鳴りを潜め、つまらなそうな、冷めた面持ちだ。

「ご隠居さん、そろそろお八つを召し上がる時分ですけど、いかがしましょう。ここで何か注文しましょうか」

とりあえず訊ねてみたが、声が尖ってしまった。おぶんは「いいよ」と横顔を見せたままだ。

「どうせまずいに決まってる」

あんのじょうだ。おぶんはいつも何にも満足をしない。三味線も清元も釣りも、どれもこれも心底、楽しんでいるようには見えないのだ。お咲はふと思いついて、訊ねてみた。

「ご隠居さん。いろいろお試しになったお稽古の中で、何がいちばん面白かったですか」

「何だい、藪から棒に」

怪訝な顔をしている。

「面白いこと、一つでもありましたか」

するとと下唇を突き出しながら、そっぽを向いた。

「どれもこれも、べつに何とも」

やっぱりと、お咲は内心でうなずいた。おぶんは何をやっても楽しめなくて、次から次へといろんなものに手を出してみたのだろう。ただの我儘婆さんじゃないか。

「じゃあ、何で始めたんです。それまでまるで縁のなかったことを」

おぶんは「ふん」と、大きな胸を上下に揺らした。

「面倒な訊ね方をするもんだ。何で急に道楽なんぞ始めたのかって、こう言いたいんだろう」

黙って、うなずいて返した。

「そんな簡単なこともわかんないのかねえ、まったく。死んじまったら何もかもお終いだからに決まってるからじゃないか。あたしはね、隠居金を綺麗さっぱり遣い切りたいんだよ。倅夫婦には身代のすべてを渡してあるんだし、下手に残したら身の為にならないだろ。なのにあの子らときたら、まるで己の銭が目減りするみたいにあたしの道楽を止めにかかる。挙句の果てはあんたみたいな女中までつけて。その方がよほど無駄ってもんさ」

言い分は真っ当に聞こえるけれど、お咲には倅夫婦の気持ちがわからないでもない。

おぶんがこのまま隠居料を遣い果たしてしまったら、介抱の苦労は何重にもなって倅夫婦を責めることになる。

するとお咲の胸の裡を読んだように、おぶんが笑い声を立てた。

「あの子らが先々のことを心配してるのは、こっちもお見通し。けど、あたしにはあと一年しか残されていないんだから、どうぞご心配なく、だ」

わけがわからず、二の句が継げない。おぶんははぐらかすように立ち上がった。

おぶんを追いかけながら、お咲は臍を噛む。ほんの束の間、立ち遅れただけなのに、脇から十数人もの遊山客が茶店に雪崩を打って入ってきて、行く手を阻まれてしまったのだ。

「はあ、やっと一服できまんな」

「姐さん、ここ、何が名物なんや」

上方訛りの騒々しさをやっと抜けたかと思ったら、おぶんを見失っていた。

どこよ、どこに雲隠れしちゃったの。

このままはぐれてしまったらと思うと、冷や汗が出てくる。夜更けになっても帰らなければ、また騒動だ。闇の中をいくつもの提灯が行き交い、おぶんの名を呼ぶ火消しらの声まで浮かんで、ぞっとした。

と、人々のざわめきの向こうでおぶんの姿が過ぎったような気がした。目を凝らせば間違いない、濃鼠の紬に帯は男物の白い博多献上を合わせている。安堵の息をつく間もなく、まっしぐらに駈け寄った。

「ご隠居さん、待って、待ってください」

呼びかけても、おぶんは振り向きもしない。腕を組み、境内の隅をぶらついている。が、ふと足を止め、大きな尻を突き出すようにして前屈みになった。やっとそばに辿り着くと、おぶんは顔を上げぬまま「ちょいと」と言った。

「大きな声、出すんじゃない。拝見の邪魔」

おぶんが熱心に見ているのは粗末な莫蓙に並べられた菊鉢で、さっきの店に比べれば客もまばらだ。が、誰もが真剣な面持ちで品定めをしていることに、ようやく気がついた。客は皆、「ほう」と唸り、うなずき、順に買い求めていく。

「これとこれ、そっちもおくんな」

中には三鉢も買う者もいて、するとおぶんは何が気に障ったか、咎めるような目つきをその客に投げた。また諍いを起こすのではないかと身構えたが、おぶんは小さく首を振っただけで品定めに戻る。

「ちょいと。これ、いくらだい」

丸い指先が指しているのは、花弁がこんもりと鞠のように丸く集まっている白菊だ。外側の花びらだけが匙の形をして外に広がっており、それは美しい紅色が混じっている。お咲の舅だった仁左衛門は庭いじりが好きで、秋になれば中庭に菊鉢がずらりと並んだものだったが、こんな見事な品はかつて目にしたことがない。

　莫蓙の向こうに坐っている男が、口の中でぼそぼそと答えた。

「え、何だって。聞こえないよ」

　お咲は何度か目瞬きをして、その痩せた顔を見返した。

「庄助さん」

　お咲が住まっている裏長屋、甚兵衛店の住人で、近所でたまに行き遭っても目を合わせようともしない男だ。

　そういえばこの人、菊作りの職人だったっけ。

「おや。見知りかえ」

　訊ねられて、お咲は「はい、同じ長屋の人で」とうなずく。と、庄助の背後に置かれた大八車から「こんにちは」と投げかけられた。童のような声だ。

「おばさん、こんにちは」

　辞儀をしてみたけれど、おきんは今度は倅に向かって「お前さん」と呼びかけた。長年、寝ついているおきんは時々、物事の綾目がわからなくなるらしい。庄助はそんな母親を家に独りで置いておくわけにもいかず、菊鉢を積んだ大八車に乗せて一緒につれて来たのだろう。

　げっそりと窶れた庄助の姿を目にするたび、お咲は身につまされる。母親の佐和はまだ若いけれど、いつか必ず同じ苦労をする日がやってくる。

「ちょいと、これ、いくらなんだよ」

おぶんが訊ね直した。

「百五十文です」

「ひゃくごじゅう、もん」

声を引っ繰り返している。

「あんたねえ、何てぇ値つけをしてんの。百五十文といえば、米の一升は買える値だ。これ、宝珠菊じゃないか。しかもここまで花びらが暴れてない品なんぞ、滅多とない。毎日、一枚一枚の花びらを箸で上向きにしてきたんだろう。え、そうだろう。こんな名品、三両の値をつけたって罰は当たらないよ」

庄助は啞然としている。

「今、値が安いって、怒ってるんですか、もしや」

「あのねえ。物にはそれに見合った値打ちというものがあるんだ。屑には屑らしい値があって、いい物にはそれにふさわしい値がある。分不相応に高値をつけるのは商いとも言えないが、こんな安値にするのもわかってない証だ」

おぶんは「出来に比べて安過ぎる」と、庄助に説教を始めている。

「さっきの、三つもまとめて買ってった客、いたろう。正真の値打ちがわかっていながらえらくいい買物をしたって、ほくそえんで。卑しいね、あんなの。でもいけないのは、庄助さんとやら、あんたの方だよ」

お咲は、鳩屋を訪ねてきた相模屋の女房の言葉を思い出した。おぶんは亭主と共に商いをして、自らも才覚を働かせて今の身代を築いたようだ。今も大層、厳しい顔をして、深々と溜息を吐いている。お咲を小言責めにする意地の悪さとは、また異なる面持ちだ。

「まともな客はちゃんと目を持ってんだから、品の出来に見合った銭を喜んで払うさ。その時、初めて、作り手と客は対等になる。職人もそこんとこはちゃんと弁えとかないと、後が続かないよ。……あんた、年寄りを抱えてんだろう」

おぶんは庄助の背後のおきんのことも、何がしかの察しをつけているようだ。懐から銭入れを出すと小粒を洗いざらい掌にのせ、庄助に向かって差し出した。

「あいにく今日はこれだけしか持ち合わせがないから、足らずはうちの者に届けさせるよ。うち、どこ」

「本郷の、菊坂台町です。けど、これはいただき過ぎです」

「まだそんなことを。いいから、それはともかく納めなさい」

おぶんは庄助の手首を掴んで、小粒を握らせようとする。庄助は頑なに腕を引く。と、大八車の中にいたおきんが身を乗り出すようにして叫んだ。

「うちの人を責めないで。文句をつけないで」

お咲は、隠居家の小部屋で荷作りをしている。

「この十日の間、久しぶりに安穏に過ごせました。いや、こうも助かるとは。お願いして良かった」

今朝、母屋の倅夫婦に挨拶をしに行くと、主に大層、喜ばれた。

「お蔭様で、女房や女中らへの小言も忘れたみたいに無くなりましてね。このまま達者に暮らしてさえくれたら、あたしらはもう言うことはないんですが」

幼い子を膝の上に抱いた女房も、亭主に合わせてうなずいた。

「この子もお祖母ちゃんを怖がって、あまり近寄らなかったんですけど。そのうち、子守りもお願いしてみようと思ってます」

二人とも穏和な人柄であるらしく、こうまで手こずらされたおぶんを厭うことなく、思いやりさえ口にする。ただ、そこには但し書きがつくような気がした。

自分たちの目の届く範囲でほどほどに楽しんで、たまには孫の面倒を見ながら穏やかに、機嫌よく過ごしてくれたら言うことはない。

世間の誰もが老いた親に抱く、これもごく当たり前の願いかもしれない。けれど、都合が良過ぎはしないかとお咲は思う。「自分たちの思い通りに過ごしてさえいれば安心」という態度に、微かな身勝手さを感じるのだ。おぶんが口にした言葉をゆうべ、寝る前に思い出して、それが引っ掛かっているせいかもしれない。

――あたしにはあと一年しか残されていないんだから。

お咲は倅夫婦に思い切って訊ねてみた。

「つかぬことを伺いますが、ご隠居さん、一年後に何か大きなことを控えておられますか」

「来年ですか。とくに何も聞いてませんが。お前、何か知ってるか」

亭主は横の女房に訊ねたが、女房も「さあ」と首を横に振った。

「よその町に越されるとか長旅に出られるとか、そんなことも決まってたりはしないんですね」

「お父っつぁんの十三回忌は再来年だし、来年は別に取り立てて大きなことはない、はずですが」

倅夫婦はしばらく顔を見合わせていたが、思い当たる節はなさそうだ。お咲はもう一つ思い切って、切り出した。

「私からこんなことを申し上げるのも何ですが、お目付け役はまだ当分、要ると思います」

おぶんはこの十日、おとなしくしていただけで、今日からまた何をやらかすかわかったものではない。女房もそれは案じていたようで、「そうですね」とうなずいた。

「これからもお咲さんがついていてくれるんですか」

「それは鳩屋が決めることですから、あたしには何とも申し上げようがありません。ともかくよくお考えになって、鳩屋に相談してみてください」

女房は「まだまだ続くんですね」と小声で零し、甘えて頬に手を伸ばす子供を抱え直した。

も相模屋の受け持ちを続けるように指図されても、今度はきっぱりと断ろうと決めている。

鳩屋のお徳がどんな思案を巡らせるか、お咲には推しようもない。ただ、もしこの先

お咲はいつもの介抱仕事に戻りたくてたまらなくなっていた。お目付け役より遥かに躰はきつくて臭くて、いつも病や死と隣り合わせである。

でも。あたしの手を真に必要としてくれている人たちの枕許に、あたしは通いたい。

懐にしまった銀細工の猫にそっと手を当てた。

荷を包み終えて部屋を出て、おぶんの居間に入った。

おぶんはまだぼんやりと縁側に坐り、軒下に置いた菊鉢を眺めている。一昨日、浅草寺から帰ってきて以来、ずっとこの調子なのだ。昨日は一歩も外に出ていない。

「ご隠居さん。ではこれでお暇いたします。お世話になりました」

声をかけたが振り向きもしない。お咲は辞儀をして、膝を立てた。

「ちょいと」

妙な仕事からやっと放免されると思いつつ、これも聞き納めかと思うと、少しばかり気が残るから不思議なものだ。お咲は「はい」と、膝を下ろし直す。そろそろ昼前の茶の子を出す時分だが女中がまだ顔を見せないので、「何をさせても遅い、間に合わない」との小言だろう。

おぶんは縁側に坐ったまま、ゆっくりとお咲に目を合わせた。

「あたしにもできるかえ、介抱人」

三

もう二度と一緒に歩くはずのなかったおぶんの後ろに随いて、菊坂を上る。

「いろいろ良くしてもらったからね。外出がてら、鳩屋さんにもちょいと挨拶しとくよ」

おぶんが倅夫婦にそう言うと、主は「そうかい」と送り出したものの、かたわらの女房は不安げな面持ちになった。おぶんのことだから、鳩屋と諍いでも起こしたら後が困ると思ったのかもしれない。

「私、そばについていますから。帰りもお送りします」

女房に耳打ちをして、おぶんと連れ立って相模屋を出た。ところがおぶんは深川を出ると、「本郷に行く」と言い出したのだ。

「本郷って。知り合いがおありなんですか」

「知り合いも何も、菊坂台町のあんたんちだよ」

「あたしんちって、そんな、困ります」

「案じなさんな。十日も留守にしてた家なんて埃だらけに決まってる。頼まれても、上がりゃしないさ」

本当に留守なら、少なくとも家の中は荒れていないはずだ。だが佐和はお咲が奉公に出ている間、煮売り屋で買ってきたものを食べ散らかし、汚れた茶碗や皿もそのままだ。掃除はおろか、洗濯も己でした例がない。

「あんたの荷を置きがてら先に本郷まで行って、その帰りに鳩屋に寄る。そしたら昼八つまでには充分、深川に帰れるし、道に無駄がないだろ」

おぶんは適当な理屈をつけ、それからは黙々と歩いている。

まったく、最後の最後まで厄介をかけるご隠居だわ。

坂道の途中でおぶんは足を止め、ふり返って手をかざした。

「へえ。いい眺めじゃないか。紅葉の頃はさぞ見事だろう」

物見遊山の気分なのか、眼下の景色を見渡している。お咲はそこでようやく肩を並べて、おぶんに訊ねる。

「あのう。さっき、妙なことをおっしゃったような気がするんですけど」

「妙って、何だい」

「介抱人って。いえ、たぶん私の聞き違えですね」

笑い濁しながら言い換えてみたが、おぶんは黙ったまま再び坂を上り始める。

もしや、本気なの。

「ご隠居さん。介抱人ってのはほんと、きつい奉公なんです。寝たきりのお年寄りの躰がどれだけ重いことか。それに、いきなりお乳を揉まれたり、お前なんぞ帰れって襁褓の中に出したばかりの大きいのを投げつけられたりだってするんですよ。若い者でもよほど性根を据えてないと、長くは続けられません」

「じゃあ、あんたは何で介抱人なんてやってんの」

「そりゃあ、並みの女中奉公に比べて稼ぎがいいからですよ。あたし、借金を抱えているもので」

お咲はいつもの答え方をした。「お年寄りに喜んでもらえるのが嬉しい」とか「他人様に尽くせるのが甲斐だ」なんて、滅多と口にできるものじゃない。それは銀の猫と一緒に、ひっそりと懐に抱いていればいい。

おぶんは不服げに、下唇を突き出した。

「ほんに早呑み込みだねえ。誰が稼業にすると言った。あたしは介抱人で稼ぐつもりなんぞ、これっぽっちもないよ」

「じゃあ、どういうおつもりなんですか」

歩きながらおぶんの横顔を見た。

「あたしの亭主はねえ、隠居した矢先にぽっくり逝っちまったのさ。一日も寝つかないで、朝、起きてこないと思って寝間を覗いたら、息がなかった」

おぶんは淡々とした口調で、足取りも緩めない。

「親戚も近所もね、うちの人を褒めちぎったよ。こんないい往生はない、女房孝行だ、倅孝行だって。でもさ、あたしゃ口惜しくてねえ。うちの人はそりゃあ貧しい家で生まれ育って、年端も行かない時分から蜆売りや子守りをしてさ。酒も煙草もやらないで、ひたすら何十年も働いて、さあこれから余生を楽しもうって時に死んじまうなんて。あの人はこんなはずじゃなかったと、あの世で歯嚙みしてるに違いない。あたしはそう思ったもんさ」

　頭上で舟の櫓を押すような鳴き声が聞こえた。雁が何羽もつらなって秋空を行く。

「ただ、そんな気持ちもいつのまにか日々の暮らしに紛れちまうもんでね。倅夫婦はまだまだ頼りないし、店や家内のことにあれこれ口出ししてるうちに、独りの隠居家暮らしにも慣れた。でも去年のことさ。盆前に墓参りをして、ふっと思った。あたし、あと二年で亭主が死んだ歳になるんだって。そしたらね、妙なことに気がついた。亭主が死んだのが六十二なら舅、姑も六十二、あたしのおっ母さんも六十二の歳だった。そしたら、ああ、あたしもあと二年で終いなんだって。……あんたら若い者は何を馬鹿なって笑うだろう。だから、あたしは誰にもこの話をしたことがない。倅夫婦にもね」

「もしかしたら、それで道楽をお始めになった」

「まあね。この際、亭主ができなかったことを全部し尽くしてやろうって、遊んでみた。ところがさあ、何をやっても面白くないんだよ。あたしゃ、芯から無粋者なんだね」

　話しながら歩いているうちに、とうとう甚兵衛店に着いてしまった。

「ここなんですけど」

「ちょいと。屋根板が腐ってるじゃないか。こんな襤褸、久しぶりに見るわ」

　木戸門を見上げながらさっそくけちをつけているが、面白がっているような顔つきでもある。路地を進むと、井戸端で誰かが屈んで水を使っている。その後ろ姿は庄助だ。膝の脇にいくつも鉢を積んで、熱心に束子(たわし)で洗っている。

おぶんは庄助を目がけてまっしぐらに進み、小腰を屈めた。

「おっ母さん、元気かい」

呆気に取られてか、庄助は口を開いたまま声も出さない。おぶんはお咲を振り向いて目を細めた。

「あたし、この人のおっ母さんに挨拶するからさ。あんたはその間に荷を置いといで。急がなくていいよ」

庄助が束子を持ったまま立ち上がった時にはもう、おぶんは開け放した戸口の中に身を入れていた。

裏庭伝いに、おぶんがおきんに盛んに喋りかけているのが聞こえる。棟割り長屋のうち、奥がお咲、間に一軒置いて東に庄助が住まっている。

お咲は急ぎ足で自分の家に入ったが、いつもの「遅かったねえ」がない。湯屋へ行ったか、それとも近所の煮売り屋にでも出かけたか、どこにも佐和の姿がない。

ほっと胸を撫で下ろして、どうせなら町でもうろついてきてくれたらいいのにと思った。今日に限ってはその方が有難い。お咲は介抱人の仕事を佐和に内緒にしていて、ただの女中奉公だと言ってある。

しかも年寄りを忌み嫌う佐和が、おぶんにまともな挨拶ができるとは思えない。他人の気を損じるのがそれは巧く、ことに女という女を敵に回す。

家の中はやはり、いつも通りの荒れようだ。汚れた着物や湯文字が畳のあちこちに脱ぎ捨てられ、枕屏風の上にも掛けてある。そのうえ「ぽち」と呼んでいた野良猫を家の中に上げたらしく臭いがするし、鏡台の脇には櫛や化粧道具と一緒に煮干が置いてある。隠せる物はともかく隠し、おぶんが坐れそうな場を空けた。「頼まれても、上がりゃしないさ」なんて言いながら、その裏を掻くのがおぶんだ。

気が急くまま箒を持ち、縁側から埃を掃き出していると、裏庭伝いに笑い声が聞こえた。

「うちの人はそれは腕利きの職人でしてねえ。菊合せに品を出したりしますと、どこやらの殿様がお求めくだすったこともありますんですよ。庄助はそんな父親に仕込まれて、ええ、こんな小さい時分から菊の腰巻をつけたりして」

それがおぶんではなく、おきんの高く細い声であることに気づいて顔を上げた。

「へえ、菊に腰巻ですかえ」

「そうですとも。大輪は花首にそれをつけといてやらないと、花びらの重みで首が曲がってしまうんですよ。紙で丸く、このくらいの大きさでね。でも、考えたら可笑しいですね、首に腰巻だなんて」

おきんがこんなにもしっかりと、朗らかに話せるのだと知って、胸の裡で動くものがある。台所の盥や柄杓を片づけ、茶湯の用意をしてもまだおぶんはやって来ない。様子を窺おうと路地に出ると、庄助と目が合った。庄助は束子を持ったまま戸口の前に立っていた。

「あんなおっ母さん、久しぶりだ」

庄助の声を初めて聞いたような気がした。近所とのかかわりを避けるようにいつも目を伏せ、ろくに口をきかない男だったのだ。おきんの介抱のために何もかもをあきらめ切ったような、どことなく捨て鉢な風が気になりながら、そっとしておいて欲しいのだろうと思っていた。

でもこの人、こんな顔もできるんだ。

「じゃあ、おきんさん、またね。お大事になすって」

路地の気配に気づいたのか、おぶんが二間きりの家の中をすいと歩いてくる。路地に出たおぶんに向かって、庄助は黙って頭を下げた。

「いや、あたしも楽しかったよ。菊のこと、いろいろ教えてもらえて。これからちょくちょくお邪魔するからさ、よろしく」

庄助が「ちょくちょく」と口の中で返すと、おぶんは己の胸を叩いた。

「手伝わせてもらいたいって言ってんの。掃除に炊事、おっ母さんの世話だって、あたしの方がよほど手早いんだから。そのぶん、あんたは菊作りに精を出せばいい。お父っつぁん譲りの大した腕を持ってんだ。今が精進のしどきさね」

唐突な申し出に、お咲は数歩動いておぶんの前に立った。

「ご隠居さん、本気で言ってんですか」

「当たり前だろ。大本気さ」

庄助が「とんでもない」と顔色を変えた。

「知り合ってまもないお方に手伝ってもらう謂れはありやせん」

「あたしがそうさせてって頼んでんのに、何で駄目なのさ」

とうとう押し問答になった。

「余計な節介だ。おっ母さんは俺が最期まで看るって、決めてんです」

「頑固だねえ。なら言うけど、あたしはあと一年で死んじまうの。だからせめて一年だけ、おきんさんの世話をさせて。手出しをされるのが迷惑なら、話し相手だけでもいい」

「勝手なことを言わんでおくんなさい。一年だけって、じゃあ、うちのおっ母さんはどうなる。その後、あんたが来なくなったら、それこそ酷というもんじゃないか」

するとおぶんは庄助に目を据えながら、大きな溜息を吐いた。

「あたしがあと一年で死んじまうってのはね、そういう心持ちで生きようって決めたってことさ。本当は明日の朝、目が覚めないかもしんない。今日、帰りに馬に蹴られるかもしんない。そんなの、誰にもわかんないんだよ、本当は。あんただってそうじゃないか。おっ母さんより長生きするって思い込んでるみたいだけど、その痩せ方は何だい。

目の下に隈まで作っちゃって。どうせ、ろくな物食べてないんだろ。そんな不養生であんたが倒れたら、それこそおっ母さんはどうなんの。だからね、先のことはあんまり考えないで、この秋だけでもいいから赤の他人に手伝わせてみなさいよ。で、秋が済んだら冬、冬が行ったら春、その時々に考えたらいいんだよ。一緒に」

「妙な情ならお断りだ。俺もおっ母さんも、そこまで落ちぶれちゃいねえ」

庄助はまだ折れないでいる。お咲は何か口を添えようと思ったが、考えあぐねているうちにおぶんが庄助の胸座をどんと突いた。

「生意気言って。ここまで落ちぶれたら、もうほとんど底じゃないか。あたしはね、何もあんた方に施しをしようってぇ料簡じゃない。これはね、あたしがやっと見つけた隠居道楽なのさ」

五郎蔵は鉢に水をやりながら、「こいつぁ、立派なものだ」とまた唸っている。お徳は長火鉢の猫板に頰杖をついて、いつもの一服だ。

「お前さんにわかんのかえ、花なんぞ」

「わかるさ。なあ、お咲。これは、ええと、何っつったかな。半、半」

お咲は泊まり込み明けで、板ノ間の隅で奉公帳を開いていたのだが、筆を持つ手を止めて答えてやる。

「半じゃなくって、丁。丁字菊だって言ってたよ。名残りの菊だって」

さっき、庄助がその鉢を鳩屋に持ってきたのだ。相変わらず言葉惜しみをして、ろくろく顔を上げぬまま帰って行ったけれど、それでもこうして人とかかわりを持つ気になったのは、おぶんの手柄だとお咲は思う。

半月前、おぶんは菊坂台町の長屋を出てから鳩屋に寄って、お徳夫婦にこう告げた。

「うちの嫁が、またお願いに上がるかもしれませんがね。お目付け役はもう結構でござんすよ。あいにくだけど」

相模屋の女房を取り込んでこれから介抱先を広げようとまで目論んでいたお徳はすっかり当てが外れた格好になったが、そこはさすがに顔には出さず、愛想を崩さない。

「さいですか、それは何よりでござんした」

「けど、お身内はまだご心配でやしょうよ」

五郎蔵がまた、思ったままを口にする。するとおぶんは「隠居金のことをおっしゃってんですか」と小さな黒目を光らせた。五郎蔵はお徳に尻をつねられて、「あ痛っ」と身をよじる。

「女将さん、お気遣いは結構ですよ。世間にはよくある話だし、お咲には十日も面倒を見てもらったんだ。今さら何を隠したって、しようがありませんよ。いえね、隠居金はもう倅夫婦に預けちまおうって思ってんです」

「はあ、なるほど」

お徳がたちまち得心した顔になった。

「そしたら、あたしの散財の心配をせずとも済みましょう。まあ、あたしも金子を遣うのは飽きちまいましたしね。そこから時々、小遣銭をもらえば充分なんですよ。その代わり、これからは好きな時に好きな所に出歩かせてもらうよと、言い渡すつもりでいるんです」

「まあ、相模屋さんにしたら一番の心配が解けるわけでやんすから、否とはおっしゃらないでしょう」

五郎蔵はまた言わずもがなのことを口にして、おぶんを苦笑いさせた。

お咲が深川まで送って行こうとするとおぶんは「一人で帰る」と言ったが、相模屋の隠居に供をつれぬ独り歩きをさせるわけにもいかないので、下働きの小女が随いていくことになった。通りまで出て見送った後、お徳と五郎蔵に顚末を打ち明けたのである。

「介抱人だって。あの、おぶんさんがかえ」

お徳と五郎蔵は顔を見合わせたものだ。そこで庄助の母親、おきんのことを話した。

「稼業じゃなくて、おきんさんの世話をしたいって。やっと見つけた隠居道楽なんだって言ってなすった」

すると五郎蔵が「けっ」と、胡坐を抱えるように足首を持った。

「隠居の気儘な道楽で介抱人の真似事をされたら、たまったもんじゃねぇな。その、庄助ってのにもいい迷惑だ」

するとお徳が「わかんない人だねえ」と、片眉を上げた。

「おぶんさんにとって道楽ってのは、生きる甲斐ってことさ。ねえ、お咲」

「うん。たぶん、そうだろうと思う、あたしも」

「ただ、気になるのはその庄助って職人の方だね。気の毒に、苦労が過ぎて他人の好意ってもんを素直に受け取れなくなっちまってんだろう」

お咲も内心でうなずいた。庄助は独りで踏ん張ってきた分、誰かにひとたび頼ってしまうと己のつっかえ棒がなくなりはしないか、怖いのかもしれない。

だからこそ、おぶんは「一緒に」と言った。赤の他人だけど、その時々、一緒に考えたらいいと。

それにしても菊という花は何とも香気の高いものだと思いながら、お咲は奉公帳を閉じた。

「お茶くらい呑んでくだろ」

お徳に誘われて、長火鉢の前に移った。

「お前さん、お茶」

五郎蔵は「あいよ」と返事をして、柄杓を持ったまま板ノ間に上がってくる。

お咲は「たまには、自分で淹れるよ」と言ってみたが、五郎蔵は「まあ、いいってことよ」と、鼻唄まじりで茶葉を入れている。お徳はその間、悠々と煙を吐く。

「けど。あの庄助って若いの、何とも無愛想な男だねえ。相模屋のご隠居、来てくれてんのかえって訊ねたら、へいって、それだけだよ。あたしに声を出したの」

お咲は少し笑い、湯呑を持ち上げた。こうして一服すると眠気や疲れがどっと押し寄せてきて、しかしそれが妙に心地良かったりする。

「おぶんさん、さぞ甲斐甲斐しく世話をなさってんだろう。張り切って」

「そうだろねえ」

「だって、全然、会わないんだもん。すれ違いで」

おぶんがその後、何日置きにおきんを訪ねているのかさえ、よく承知していないのだ。泊まり込みの奉公が多いし、近頃は三日勤めて一日休むという決まりも崩れがちなので、庄助とも滅多と顔を合わさない。

ただ、おぶんのすることにもう何の気懸かりも抱いていない。

心配なのはおぶんと佐和がいつ、出くわすかだ。佐和が近所づきあいを厭い、まるで眼中に入れないことだけが頼みの綱だ。

「ごめんくださいよ」

暖簾の外で声がして、返事をする間もなく誰かが入ってきた。たっぷりとした腰には、年季の入った前垂れをつけている。

「おや、お咲も。いいとこで会えた」

おぶんは至極、機嫌が良い。上がり框(がまち)に半分だけ尻を置いて、手土産らしき包みを差し出した。

「栗をたくさんもらいましたもんでね。お裾分け」

「これはこれは、恐れ入ります。ささ、どうぞ、お上がりになって」

夫婦でしきりと勧めるが、おぶんはもう腰を上げている。

「いえ、今から菊坂に向かうんでね。またゆっくりお邪魔しますよ」

と、お咲に向かって「ちょいと」と言った。

「昨日、あんたのおっ母さんに会ったよ。凄い別嬪だけど、ほんと、やな女だねえ」

口ぶりから察するに、一悶着あったようだ。家に帰ったら佐和からもつつき回されるのかと思うと、いっぺんに眠気が醒めた。

福来雀（ふくらすずめ）

一

冬晴れの空に、賑やかな人声が響く。

おかめに松竹梅、大判小判に白鶴金亀の細工を飾った熊手が、紙垂を揺らしながら行き過ぎる。今日は霜月の酉の日、方々の神社で酉の市が立つ日だ。熊手は「倖せを掻き込む掃き込む、客を取り込む」との験を担がれ、料理屋や旅籠、芝居者など、客商売にかかわる者らがこぞって参詣するようだ。

「らっしゃい」

熊手を持った女づれが二人、入ってきた。

「燗を二つ。いや、冷やにしよう。人いきれで、すっかり温もっちまった」

店先に腰を下ろすや頭巾襟巻をはずし、冬羽織も脱いでいる。女芸者だろうか、晴れ晴れとした面持ちで羅宇の赤い煙管を取り出し、吸いつけた。その所作の一々に切れがあり、化粧っけのない横顔には磨き上げたような艶がある。

仙太郎は陽溜まりの女たちを不躾に見やっていたが、やがて顔を戻して、手焙りに掌をかざした。

「こっちはいつまで経っても底冷えだ」

背中を丸めながら、燗酒を舐める。お咲は茶を頼んだが、湯呑にも手をつけぬままだ。別れた亭主とこんな水茶屋でなど会いたくないのだが、いつもこういった店を指定してきて呑み喰いする。しかも通りに面した席には決して腰を下ろそうとはせず、奥の日陰にこそこそと進む。足許の土間は薄い氷が張ったままだ。

仙太郎はまた「寒い」とぼやきながら、言い訳をした。

「うちのが悋気病みでさ。お前とこうして差し向かいでいるのを知ろうものなら、おっ母さんと組んで風神雷神のご到来だ。ふだんはいがみ合ってるくせに、お前のこととなったら途端に気が合う。くわばらくわばら」

「今日、あたしと会うって話したんですか」

「喋るもんか。言っただろう。この金のことは女房に内緒にしてんだもの。おっ母さんはむろん承知だがね」

仙太郎はお咲を離縁した後、時を置かずに一回り歳下の女房をもらったらしい。今や年子を三人もうけた夫婦であることも、自らお咲に語ったことだ。

「だからあたしの奉公先が、代わりにお返しに上がろうかって申し出てくれたのに」

そこに「お待ちどおでした」と、掛け蕎麦が運ばれてきた。酒に茶菓、蕎麦まで出す店であるらしく、仙太郎はさっそく箸を手にする。

「見ず知らずの他人様に持ってきてもらってもねえ」

「受け取りをお願いします」

「わかってる。これを食べたら書くよ」

一刻も早く放免してもらいたいのに、仙太郎は蕎麦を盛んに啜り始めた。熱い湯気と共に醬油と葱の匂いが立って、お咲は顔をそむける。

店の中の賑わいを眺めるうち、客が女中を呼ぶつど、「はあい、ただいま」と答える女中の赤い前垂れが揺れる。

あたしもあんなふうに下駄の音を立てて動いていたと、思い返す。

お咲は嫁ぐ前、この水茶屋より小体な店で茶汲み奉公をしていた。考えれば、十二、三の頃からずっと水にかかわる仕事だった。商家で水汲みをし、水茶屋で茶や酒を運び、今も盥に水を張り、年寄りの躰を拭いている。

その水茶屋の客に仙太郎がいて、女中のお咲にも物腰が柔らかく、取り巻き連中も皆、いつも洒落た身形をしていた。口をきくようになれば七つ歳上であることがわかり、大層、大人にも見えた。

やがて仙太郎は毎日、通ってくるようになり、「一緒になろう」などと軽口を叩く。からかわれているのだと承知していたので、相手にしなかった。けれど胸の裡がほんのりと温もった。誰かに気に入ってもらえるだけで嬉しくなる、そんな他愛のない小娘だった。

だが仙太郎は通い詰めてきて、熱心に口説く。取り巻きが口にする言葉の端々から仙太郎の家は大層な家だと察していたので、お咲は「とんだ身分違いです」と真顔で言わねばならなかった。

「あたしはご覧の通りの、しがない茶汲み女中です。野放しで育って、何の行儀作法も知りません。立派なお家のご新造（しんぞ）なんぞ、務まるわけがないんです」

すると仙太郎はじっとお咲を見て、「親は」と訊ねた。

「養わないといけない親きょうだい、いるの」

「お父っつぁんは赤子の頃に亡くなって、おっ母さんは」

もう死んだと言いたくなって、俯いた。

そんな嘘をつけば、この若旦那はますます通ってくる。あたしも高望みをしたくなってくる。

「おっ母さんは、妾奉公をしてるんです」

その頃、佐和はまだ旦那持ちだったが、小遣い銭に困ると店に姿を現して無心するのが常だった。でもそこまでは打ち明けられなかった。自分まで見下げられるような気がして、怖かった。

「妾奉公でも奉公だ。自分で暮らしを立ててなさるんなら、何も案ずることはない」

仙太郎はそう言い、お咲の肩に手を置いた。頼もしい男に思えて、その手を振り払えなかった。

その日から、仙太郎とのことを本気で考えるようになった。

あんな人の女房になるなんて、身の程知らずだ。罰が当たりやしないだろうか。

惑いつつ、本当に一緒になれるだろうか、若旦那は親をちゃんと説き伏せてくれるだろうかと、やきもきした。

これで己の行末も落ち着く、安堵できると思ったのだ。今から思えば、相手は別に仙太郎でなくても良かったのかもしれない。大きな家に嫁いでしまえば、おっ母さんも迂闊に近寄ってこられない。目に見えぬ結界を立てるような心持ちだった。

だが、佐和にとってはそんな結界など無きに等しいものだったのだ。あろうことか、娘の舅に金子を無心した。

「だから、私は厭だって言ったんですよ。妾奉公してる人の娘なんて、怖いって」

登美はやはりお咲を家に入れることに不承知で、それは仙太郎に連れられて家に挨拶に行った、その日にわかった。無遠慮にお咲を眺め回し、「仙太郎も物好きだこと」と吐き捨てた。

「あれは貸したものじゃない。佐和さんに差し上げたものだ」

事の次第が露見して登美にお咲が叱咤されている時も、仁左衛門は床の中から取り成してくれた。が、登美の怒りは収まるはずもなく、爪を立てるような声を上げ続けた。

「であれば、なおさらじゃありませんか。お前様が何ゆえ、あんな妾稼業の者にお銭を取られねばならないんです。まったく、母娘で誑し込むなんて、油断も隙もありゃしない」

「母娘って、何をおっしゃっているんですか」

口答え一つしたことのなかった姑に、お咲は思わず訊ね返した。すると登美はぷいと顔をそむけて、頬を歪める。

「お前は平気で、お下の世話をしてるじゃないか」

裸の躰を拭いて着替えを助けたり、雪隠に立てぬ日は竹筒を使って尿を取ったりするのを登美は何度も目にしていた。座敷に入ってきて、その最中であると手伝うどころか中に足を踏み入れもせずに廊下を引き返していたのだ。登美と仙太郎は仁左衛門の介抱をお咲に押しつけたまま素知らぬ顔をしていたので、いつものことだと思って別段、気に留めないでいた。

しかし登美はそれを持ち出してお咲を蔑んだのだ。横に並んでいた仙太郎は庇ってくれるどころか、終始、お咲を責め立てた。

「これほどの大事をしでかしておいて、何だい、その顔つきは。可愛げがないねえ、お前という女は。泣いて土下座でもしたら堪忍せぬでもなかったが、こうもふてぶてしい面を見せられると仏心も失せるね。厭になる」

嫁入り箪笥の一竿も持たず、ほとんど着の身着のままで入ったお咲を、登美は事あるごとに非難した。「そんな着物で近所をうろつかれたら体面が悪い」と口の端を歪めながら、家の中では女中と変わらぬ扱いだ。仙太郎も夫婦になって一年も経たぬうちに、玩具に飽きた子供のように冷淡になっていた。そもそも、名家の娘らに慣れている男だ。水茶屋の女中が珍しくて、手に入れたくなっただけだったのだろう。

佐和の借金は、厄介払いのいい口実なのかもしれない。仁左衛門の介抱だけが気懸かりであったけれど、もうこれ以上、この家にはいられないと思った。

その後、お咲が婚家を出てまもなく、仙太郎は遠縁の娘を後添えに迎えたようだ。その娘とはとうに深い仲であったらしく、早々に子を産んだと耳にした。仙太郎は逢引に忙しくて父親の介抱を渋ったのだと気がついた折も、何とも感じなかった。目の前が暗くなったのは、仁左衛門が逝ったことを耳にした時だ。

情けなくて申し訳なくて、瞼が腫れ上がるほど泣いた。

仙太郎とは、本当はこうして会いたくもない。けれど半年に一度は厭でも顔を合わせて返済をせねばならず、半年前、梅雨の頃に仙太郎と会った後、鳩屋に用があって顔を出すと、お徳に呆れられたほどだ。

「せっかくの休みに、何てぇ顔してんだい。三日三晩寝てない時より、疲れてるじゃないか」

「別れた亭主に会ってたのよ」

つい溜息を吐くと、お徳は頭を振ったものだ。

「縁の切れた夫婦が度々、顔を合わせて金子をやりとりするなんぞ、ぞっとしない話さ。

良かったら、これからはあたしが向こう様に出向くよ」

するとと五郎蔵が「何もお前が動かねえでも、そんな野暮用は俺にまかせな」と請け合ってくれた。「へえ、たまには真っ当なことを言う」と、お徳に褒められていた。

ところが近所で草津に湯治に出掛ける話が急に持ち上がり、夫婦も乗り気になったのだ。

「たまには骨休めをしないと、くたびれちまうよね」

「そうだ、鳩屋が早死にしちゃあ、笑い者だ」

たぶんお咲に約束したことなど忘れていたのだろう、いそいそと旅支度をしていた。

仙太郎は蕎麦を喰いながら女房と姑の不仲をさんざん愚痴り、汁を飲み干した。それで身が温もったのか、首筋から紅潮している。

「お前とこうしてたまに会うのも、乙なもんだね。いや、ひと月早く会えて嬉しいよ。私も待ち遠しかったのさ」

本来なら師走の返済を今月に早めたことで勘違いをしてか、妙な目配せを寄越す。

「どうだい、この後、ちょいと日本堤でもそぞろ歩きするかい」

「それよりも、受け取りを書いてください」

何度目かの催促をした。口調を強めたので、渋々と懐から切紙を取り出し、店の者に筆を借りている。

介抱人の給金が安くては働き手が増えないという鳩屋の考えもあって、お咲は女にしては稼いでいる方だ。が、始末はおろか勘定もろくにできない佐和を抱えて、毎回、二貫文ほどを返すのがやっとである。

来年はもっと稼いで、早く身綺麗になりたい。そしたら、この男と会わずに済む。

それに、いつまでも借金を抱えたままであるのは気持ちがきつかった。仕事明けの朝にほっとしながら顔を洗っていても、急に不安に囚われてずっしりと手足が重くなる。

受け取りを手にすると、小さく辞儀をして立ち上がった。と、いきなり袖を引かれた。

「お待ちよ。そうも急いて立つものじゃない」

「放してください。これから奉公がありますから」

袖を持つ手の手首ごと捻るように摑み上げ、払い捨てた。

「奉公って、まだ介抱人なんぞをしてるのか」

誰かに見られやしなかったかと案じるように仙太郎は周囲を窺いながら、己の手首をさすっている。

「そんな汚れ仕事をせずとも、もっと楽に稼げる手立てなんぞいくらでもあるだろうに。妾奉公とか、さ。その歳じゃ相手は限られるだろうけど、お前のおっ母さんはいい歳になっても続けてたじゃないか。お前だってその気になりゃあ。いや、何なら私が世話をしたっていいんだよ。お前の先行きはずっと案じていたものでね」

元の亭主の姿をまじまじと見返した。

いつも上等な身形をして、他人を見下すことでしか己の値打ちを測れない。いつでも身勝手な思いつきで思い通りにして、それを相手も喜ぶと信じ切っているのだ。

この人はお義父さんに何一つ似ていないと、嘆息した。

仁左衛門は寝ついてもお咲と心を通わせ、導き、共に笑おうとしてくれる人だった。仙太郎はその欠片も受け継いでいない。今では顔つきまで権高な姑とそっくりだった。

お咲はかえって仁左衛門の孤独を思う。どれほど淋しい最期であっただろうかと想像するだけで、胸の中の糸が千切れそうになる。

「お借りしてるものはまだたくさん残ってますが、夫婦の縁はとうに切れてるんです。お前呼ばわりはよしにしてくださいますか」

「そんな、お前、水臭いことを」

「元の女房がいつまでも己の物だと思っていなさるんでしたら、とんでもない料簡違いです。お女房さんが耳にされても、いい気はなさらないでしょうね。何なら今からお宅に伺って、お尋ねしてみましょうか。雁首揃えて」

小心な仙太郎は途端に膝を動かした。

「ほんの戯言じゃないか。よしなよ、妙な深読みは」

相手にするのも馬鹿らしくなって、通りへと出た。店先に坐っていた二人連れの女は端唄でも復習っているのか、口三味線を鳴らしていた。

二

「ただいま」

豊島町(としまちょう)の鳩屋に戻ると、おつねが片方の瞼を半開きにして顔を上げた。五郎蔵とお徳が湯治に出ている間は留守番役を命じられているのだが、しじゅう居眠りをしている。

「ああ、びっくりした。お咲ちゃんか」

伸びをして、大きなあくびを落とす。お咲が何用で外出をしていたか、おつねは知らない。

ただでさえ、介抱先によって女たちがここに顔を見せる時刻はまちまちだ。客の要望がそれぞれ異なるからで、夕刻から翌朝までの介抱を依頼される場合はたいていは目が離せない年寄りで、お咲らが枕許に付いているその間、身内が寝(やす)む。逆に昼間だけという依頼もあり、その場合はさほど重篤(じゅうとく)ではなく、身内が家を空ける間だけ世話をすることが多い。

「今日は夜だっけ」

奉公帳を見れば奉公人の誰がいつ、何という家に介抱に出るかは一目瞭然のはずなのだが、おつねは字を見るのが嫌いらしく、いつも誰かに訊ねて済ませる。そしてすぐにそれを忘れる。

「そう。久しぶりに、加賀屋のご隠居さん」

「あれ。そう言えばさっき、加賀屋から報せが来たよ」

「報せ。何だって」

「亡くなったって」

そんな大事なことは先に言ってよと首を横に振りながら、お咲は上がり框にすとんと腰を下ろした。ぽっかりと気が抜ける。

「そう。ご隠居さん、亡くなったの。いつ」

「たしか、七日前とか言ってた。八十五の大往生」

介抱した年寄りが死んでも、お咲はもう涙を滲ませなくなっていた。最初はそれこそ思い出すたび泣けてきたものだったが、介抱人は死に向かう人を看取る仕事でもある。いつしか通夜や葬儀に行くことも止め、一人で西方に向かって手を合わせることにしていた。

他人からそれがどう見えようが、人の死に慣れてしまったわけではないと思っている。ただ、自分なりの見送り方を身につけただけだ。

「何だか、小腹が空いたよねえ」

おつねは火鉢に網を置いて餅を焼き始めた。火箸で炭火を掻き立て、しじゅう餅を引っ繰り返す。こういうことだけは手まめだ。

「ねえ、らくだって知ってる」

「あの、南蛮渡りの生き物のこと、かな」

昔、一度だけ両国の見世物小屋で目にしたことがある。砂色の毛におおわれ、背中に不思議なこぶがあった。物憂げな目をして、それこそとても眠そうで、でも口許は笑っているような顔つきだった。おつねがもう少し痩せれば、何となく似ているような気もする。

「あたしは見たことないんだけどさ、そのらくだの糞が燃料になるらしいんだよね。炭や薪の代わりになるんだから、当たったら大きいんだって」

「あんた、まさかまた稼ぎをご亭主に渡したの」

訊ねると、餅をいじりながら、にんまりと目尻を下げた。

「だって。らくだの糞で、今度こそお前にいい目を見せてやるって」

おつねの亭主は山師の出来損ないのような男で、いつも一攫千金の仕事に銭を注(つ)ぎ込んではしくじっている。ゆえに生計(たつき)のための稼ぎ手はおつねなのだが何かとどぢを踏み、介抱先から文句が出るのだ。

おつねは焼き上がった餅にせっせと醤油をつけ、板海苔で巻いて差し出してくれる。少し焦げ臭いが、無性に旨い。仙太郎とのやりとりで淀み、加賀屋の隠居の報せで淋しくなった胸の中が、ふとなごんだような気がした。

「うまく行くといいね、らくだ」

「うん。それまでは精々、稼がなくちゃ」

おつねは頬を動かしながら笑う。歯の隙間に海苔の黒が挟まっているのが見えた。

「そういえば」と、思い出したように言い継ぐ。

「今日、新しい客があったよ。江戸橋の近くの、青物町(あおものちょう)に住んでる芸者だって。おっ母(か)

さんが足の骨を折ったとかで、歩けるようになるまで夜だけ通いを頼みたいって」

厭な予感がして、お咲は餅を慌てて飲み下した。

「で、何て答えたの」

「あたしが行きたかったけど留守番があるしさ。明後日からお咲ちゃんに行ってもらうって答えといた」

「ちょっと待って。あたしはもう年内、埋まってるよ」

「嘘ぉ」

よくよく聞けば、おつねは来年の予定を見て仕事を請けたようだった。

「どうしよう。あたし、ちゃんと確かめたつもりだったのに。ほら、いつもここのご亭さんや女将さんにお前は迂闊だって言われてるし。でもやたらと急かす女なんだよ、今日の客。何かこう、さっさと口にしないと怒られそうで」

懸命に己のせいではないと言い張る。誰か代わりを立てようと、お咲は下駄を脱いで板ノ間に上がった。柱に吊るした奉公帳を開き、他の奉公人の予定を繰ってみる。やはり、皆、びっしりと埋まっていた。霜が立つようになった途端に調子を崩す年寄りが多い。

お咲は溜息を吐きながら、思案した。いっそおつねを先方に行かせて、留守番は皆で交替しようか。しかし泊まり込みの奉公をしている者も多いのだ。留守番の割り当てを考えるだけでも厄介だし、皆がすんなりと引き受けてくれるとはとても思えない。介抱と留守番とでは、実入りが違う。

「しかたがないね。あたしが昼夜を掛け持ちするわ。昼の介抱先を少し早目に上がらせてもらえば、何とかなると思う」

「掛け持ちって。それはいくらお咲ちゃんでも無茶じゃないの」

「そうだけど。今さら断りに行ったりしたら、鳩屋の信用にかかわる」

主夫婦の留守にそんなことはできないと思った。五郎蔵とお徳はこすからいところがあって、お咲はいつもぎゅうぎゅうと働かされている。けれど実の母親よりも親身になってくれるのも、ここの夫婦だ。しかもおつねが下手を打ったことで、二人が長火鉢の前でただ坐っているだけではないことがよくわかる。お咲が掛け持ちをする羽目に陥ったことなど、これまで一度もなかった。

早く草津から帰ってきてくれないものかと、待ち遠しくなった。遊山も兼ねての湯治なので、帰りは今月の末になるらしい。

「これから仕事を請ける時は、必ず奉公帳を確かめて。年内はもう無理だからね」

おつねは目を泳がせながら、何度もうなずいた。

昼過ぎまでの介抱を終え、いったん鳩屋に戻る手間も端折って、江戸橋を渡った。

「遅くなりました」

息せき切って茶の間に入ると、染吉は今日も白いうなじを見せて女中に帯を結ばせている。女中といえども芸妓の見習いであるらしく、支度ができれば三味線を抱えて共に出て、夜更けまで帰ってこない。そしてお咲がこの五日、介抱している母親のお蔦は右脚を投げ出したまま、「また来たのか」とばかりに咽喉を掻いた。

染吉はお蔦に何も言わずに介抱を頼んだらしく、初日もお咲の目の前で不服を言い立てたものだ。

「見ず知らずの者に介抱されるって、とんでもない。止しとくれ。あたしはそんな年寄りじゃない」

染吉はお咲よりいくつか年上に見え、お蔦は六十前だと聞いている。本人に相談せずに子が介抱を頼んできた場合、往々にしてこんなやりとりが起きるので慣れてはいるが、お蔦は今日もくどい口をきく。

「ねえ、断っとくれよ。他人が家にいたら落ち着かないよ」

「毎日、同じこと言わせないどくれ。歩けるようになるまでは仕方ないだろう。あたしがお座敷に出てる間、どうすんのさ」

「骨接ぎの先生に来てもらうだけで充分じゃないか。膏薬だってもらってるし、介抱なんて大層だよ。こんなの、すぐに良くなる」

お蔦はどうやら向う脛の骨を痛めたらしく、右の足首から膝の下まで添え木が当てられ、白布を巻かれている。

「膝が曲がるようになるまでは危ないって、お医者も言ってたろ」

「そうだ、お灸がいい。お灸を据えるよ」

「やめとくれ。お灸は着物に臭いが移る。芸者がお灸臭くっちゃ、物笑いの種だ」

染吉はとうとう吐き捨てるように言うと、もう一切、取り合わなくなった。鏡で襟足を撫でつけてからさっと裾を捌(さば)いて戸口に向かう。黒地に雪持ち竹が白く染め抜いてあり、ところどころに石畳模様が斜めに走っている。お咲は着物の良し悪しがよくわからないが、三味線の腕で名を知られているらしい芸妓ならではの渋い装いに思えた。

それでも左褄(ひだりづま)を取った立ち姿には色香が溢れていて、思わず見惚れてしまう。そして母親のお蔦はお咲より数段、目を細め、「いいねえ」とうなずく。

「今日こそ、あたしが切り火を」

炬燵(こたつ)に手をつきながら呟き、無理に腰を上げようとする。

「お咲さんにやってもらうから、おっ母さんはすっ込んでて」

染吉はぴしゃりと退(しりぞ)けた。お咲は戸口の前までついていき、染吉の背後で切り火を打つ。お蔦の代わりにこれをするように言いつけたのは染吉なのだが、お蔦はまるでお咲が役割を奪ったかのように文句をつけてくる。

「何さ。そんな申し訳程度の火花じゃ、験が悪い」

見えているはずもない茶の間から言って寄越すので、染吉がきっと首だけで見返った。

「おっ母さん、いい加減にしな。今から出番だってのに、ちっとはましな物言いができないのかえ。出がけにそういう物言いを聞かされたら、こっちはずっと鬱陶しいんだよ。

音色に出ちまうんだよ」

「お前にとやこう言ったわけじゃないよ。堪忍しとくれ」

　お蔦は娘に対して臆したように詫びを繰り返す。染吉は「もう」とまた舌打ちをして、お咲に向かって小さく顎を動かした。

「ちょいと。外に」

　囁くような小声であったので、何事かと外の路地に出た。

　夕間暮れで、染吉の顔はよく見えない。どこかの屋根で雀が群れになっているのか、鳴き声だけが響く。染吉は迷うように束の間、空を見上げてから、お咲の耳許に口を寄せてきた。

「え」と訊き返したが、染吉は「頼んだよ」と言い継いで足早に路地を出て行く。三味線を抱えた女中が小走りで後を追った。

「おっ母さんに呑まさないどくれ」

　染吉は切るように、そう言ったのだった。


　中に戻ると、お蔦は拗ねたような面持ちで煙管を遣っていた。

　それを待って着物を脱がし、躰を拭く。本人は最初、それをひどく嫌がっていたが、染吉に「臭うよ」と眉を顰められて、渋々、袖から腕を抜くようになった。しばらく湯屋にも行けていないのだから無理はないのだが、それは躰というよりも膏薬の臭いだ。

それにしても、染吉の物言いは容赦が無い。お咲も着物を脱ぐのを嫌がる年寄りに対して臭いを持ち出すことはあるが、染吉のそれにははっきりと険があった。

脚に巻かれた白布と添え木をはずし、膏薬を塗った晒し布を新しい物に張り替える。

「随分と腫れが引いて来ましたね」

「痛みももう無いから、あんた、もう帰っていいよ」

「あいにく、そうは行きません。染吉姐さんに叱られます」

寝衣にしている湯帷子に着替えさせると、「あたしがいいって言ってんだから、いいだろう。足がちょっと動かないくらいで介抱なんて、勿体ないよ」とまたぼやく。

「お茶をお淹れしましょうか」

「要らない。はばかりが近くなっちまう」と、お蔦はにべもない。

「それより、針箱を取っとくれ」

手を泳がすように伸ばすので、茶簞笥の際にあるのを膝の横に移してやった。するとお蔦はまた甲斐甲斐しく縫物を始める。昨日からは、染吉の三味線を入れる長袋を縫っているらしい。黒地の縮緬で、鮮やかな笹竹の文様が入っている。

「綺麗ですね」

お蔦は「だろう」と、途端に相好を崩した。

「あの子は目鼻立ちがくっきりしてるからね。こんな色柄が映えるのさ。年増だなんてほざく馬鹿がいるらしいけど、一本立ちになってもう五年さ。大したもんだよ、あの子は。日本橋じゃあ芸達者として知らぬ者はないからね。粋だの張りだの、そんな、わけのわかんない勢いだけで稼ぐ辰巳芸者とは物が違うんだよ。あの子の芸は一生ものさ」

深川の芸者は気風(きっぷ)が良く情に厚いと評判で、女だてらに羽織を着て歩く姿も大層、人気がある。お蔦はその辰巳芸者に競い心を抱いているようで、日本橋芸者こそ本流だ、染吉姐さんの名を知らぬ客は田舎者だと言い立てる。

留守中、娘自慢が尽きないのだ。そして染吉のために何かを縫い、そろそろ帰ってくる時分を見計らって火鉢に小鍋をかけ、大根汁を温め直したりする。賽子(さいころ)に刻んだ大根に薄切りの生姜、高価な蜂蜜を加えて水気を出させたもので、お蔦はずっと作り置いているらしい。

ところが染吉は見向きもしない。

「こっちは、好きでもない酒を呑んできてんだよ。やっと家に帰って、何でそんな物まで呑まされなきゃなんない」

「けど、お前、これは咽喉にいいんだよ」

「要らないったら。お願いだから構わないでおくれ。もうへとへとなんだよ」

それでもお蔦は挫(くじ)けない。坐ったままでも娘のためにできることを探しては、せっせと手を動かす。

「良くならなくちゃ。あたしがこんなままじゃあ、あの子の世話が充分にできないからね」

染吉が帰ってくるのはたいてい、約束の刻限を回っていて、それまでお咲はお蔦から目を離すことができない。それでも、いろいろな介抱先があるなか、楽な相手である。介抱は要らないと突っぱねただけあって、療治に前向きなのだ。杖を使って左足で立つ稽古をし、鍼や按摩を呼ぶ。お蔦はまだ若いけれど、骨折がきっかけで歩くことが億劫になり、そのまま足が萎えてしまう年寄りも少なくない。

「そろそろ夕餉にしますか」

「ううん、いい。あの子が帰ってから一緒に食べる」

針を持つ手を止めもせず、お蔦は答えた。

が、それも決まって染吉に叱られる。

「先に食べといてって、いつも言ってんだろう。何で待つんだよ」

「けど、お前が稼ぎに出てんのに、あたしだけってわけに行かないじゃないか」

「もう、同じことばかり言わさないでおくれよ。しんねりと待たれてるって思うと、こっちは気が急くんだよ。何でわかんないんだろう」

染吉はいつもお蔦に邪険で、上から命じるような口調だ。そしてお蔦も娘を思う気持ちが空回りをしてか、わざわざ染吉の気を損ねるような言葉を繰り出し続ける。

けど、いいおっ母さんじゃないの。うちとはえらい違いだと思いながら、お咲は台所に立った。

菊坂を上るのが大儀であるほど疲れ果てて帰っても、母の佐和は「遅かったねえ」と非難めいた言葉しか寄越さない。お蔦のように娘のために縫物をするどころか、一度たりとも飯を炊いて待っていた例がない。

飯櫃の中を覗き、お咲は握り飯を作り始めた。何とかお蔦を宥めて食べさせておかないと、また染吉が怒り出すのは目に見えていた。

ふと思い出して、辺りを見回した。一瞬、茶の間を振り返り、お蔦がまだ前屈みになって針を遣っているのを確かめてから、笊の下や梅干壺の背後を探る。酒徳利らしい物はまるで見当たらない。

――おっ母さんに呑まさないどくれ。

あれは聞き違いだったのだろうかと、首を傾げた。

飛び起きると、障子越しに明るい陽射しが入っている。

何てこと。寝過ごすなんて。

慌てて腰紐を解き、着替えにかかる。外でおぶんの声がしたような気がして、お咲は目を見開いた。

ああ、今日は昼の奉公は休みだった。

ほっと胸を撫で下ろす。毎日、夜更けに帰ってきて佐和の不平を聞かされ、朝は飯の支度をしてから介抱先に向かっている。そして夕刻からはお蔦の介抱だ。八日も寝の不足が続いていて、朝寝ができる日であることすら忘れていたと、倒れるように横になった。搔巻を己の身にかけ直す。

「ちょいと。いい加減におしよ」

やはりおぶんの声だと思い、お咲は半身を起こした。おぶんがおきんの介抱を手伝いに深川から通ってくるようになって、かれこれ三月ほどになるだろうか。ほとんどすれ違いで滅多に会わないままだが、庄助とは朝、井戸端で顔を合わせる日がある。相変わらず口数は少ないけれど、以前は気の毒になるほど窶れていた面貌が少し変わった。顔色が明るくなったような気がする。

「あんた、このあいだも小間物屋を家に上げてただろう。娘がどれほど懸命に稼いでるか、ちっとでも考えたらそんな遣い方できるもんじゃない」

「さあ、何のことだか」

「とぼけたって無駄だ。あの親爺、ここんちにも寄ったんだからね。あんたに上物を買い揃えてもらったって、得意顔だったさ」

搔巻をはねのけて立ち上がり、神棚の上に手を伸ばした。無い。隠しておいた金子がそっくり消えていた。

頭に血が昇って、外に飛び出した。井戸端におぶんと佐和が立っていて、そばにはおきんを背負った庄助もいる。狼狽えて顔色を変えたのは佐和ではなく、おぶんだった。

「あんた、いたのかえ」

「今日は夕方からの一軒だけなんで、まだ寝床に」

おぶんは心配げにそばに寄ってきてくれるが、当の佐和は懐手をして横を向いたきりだ。お咲はその横顔を睨みつけた。

「おっ母さん、何、買ったの」

「何でもいいじゃないか。私の勝手だろ」

「おっ母さんが勝手にできる銭なんて、うちには一文たりともないんだよ。あれは他人様に返すものなんだ。あたしの銭ですら、ないんだよ」

声が激しくなるにつれて、躰から力が抜けていく。

「その、小間物屋を呼んで品物を返して。でないと、年だって越せやしない」

佐和はふんと鼻を鳴らし、居直るように毒づいた。

「銭、銭って、うるさい子だねえ。そんなんだから、私だってたまには気晴らししないと、やってられない」

「やってられないって、おっ母さんが何をどうしてくれてんのよ。何一つ、したことないくせに」

「あれっぽっちで血相変えて、大袈裟なんだから。だいいち、そんなに大事なお銭なら、畳の上に置き放しにするんじゃないよ」

「嘘ばっかり。盗ったくせに。隠しておいたのを、おっ母さんが盗ったんじゃないか」

叫んでいた。誰も周りにいなければ、とっくに佐和に摑みかかっている。いったんこらえた憤りのやり場がわからなくなって、お咲はその場に蹲った。

もう何もかも厭だ。

「その人、泣いてる。どうしたんだい」

おきんの声が聞こえ、庄助が「何でもないよ」と宥めている。お咲を気遣ってか井戸端を去る足音がして、誰かの手が肩に置かれた。それはおぶんの手であることがわかっていた。佐和はこんな優しい触れ方をしない。してもらった憶えがない。顔を上げると、やはりおぶんが何とも言えぬ目をして覗き込んでいた。

「悪かったね。あんたがいないもんだと思い込んでて、つい余計な節介をしちまった」

また湿りそうになる声を繕って、「こちらこそ、すみません」と立ち上がった。

「見っともないとこ、お見せしちゃった」

おぶんの目がちらりと動いて、それにつられるように振り向くと、佐和が木戸の外に出て行くのが目の端に入る。

「あんたは見っともなくなんぞ、ないんだよ。それにこんな時くらい、無理に笑うこたぁない」

「駄目なんです。今、笑っとかないと、逃げ出してしまいたくなる。奉公も何もかも放り出しちまう」

己の声が遠ざかったり、また近づいたりする。おぶんは「中にお入り」と背中に手を回した。

三

師走に入って、暦も五日となった。

お蔦の介添えをしながら、家の周りを少しずつ歩く。添え木はもうとうにはずせていて、杖の突き方もすっかり堂に入っている。染吉がまだ支度の最中であっても、このところは「陽のあるうちに」と外に出るのだ。一昨日より昨日、昨日より今日と歩く量の増えるのが本人も嬉しいらしく、お咲にも「有難うよ」という言葉が出たりする。

路地を抜けて表通りまで出ると母娘だと思われるのか、見ず知らずの者が目を合わせて会釈をしたり、わざわざ「ご苦労さまだねえ」とねぎらわれることもある。介抱先の年寄りと市中を歩けばよくあることなのでお咲は驚かないが、お蔦は少々、不満顔になる。うちの娘はもっと別嬪だ、名のある芸妓だと臍を曲げているのが露わだ。

その稚気がお咲には、少しばかり可笑しい。

神社の境内に入ると、冬は店を閉めているのか、ぽつりと出したままになっている茶店の床几を見つけた。

「休みましょうか。あまり一遍に無理をするのもいけません」

「ああ、そうしよう」

素直に相槌を打ったお蔦はそろそろと右脚を曲げ、腰を下ろした。かたわらに並んで坐り、背中をそっと支える。我知らず脚を庇って身が斜めになりやすく、ふとした拍子に尻から倒れることもあるのだ。が、お蔦の背筋は揺れることなく、坐り方もしっかりとしている。

「ふくら雀だ、験がいい」

「ふくら……ですか」

訊き直すと、「ほら、あすこだよ」とお蔦は正面の上方を指で示した。社殿の反り返った屋根に雀がずらりと勢揃いをしている。

「総身の羽毛をああして膨らませて丸くなってる雀を、そう呼ぶのさ。え、お咲はそんなことも知らないのかえ。福が来る雀と書いて、福来雀だよ」

「へえ。冬の雀が縁起がいいなんて、何だか嬉しくなる」

このところ、ずっと気分が塞いでいた。鳩屋の夫婦が先月の末、やっと草津から帰ってきたというのに、つい鳩屋から足が遠のいてしまう。旅の話に耳を傾けるのが億劫で、しかも勘の鋭いお徳に向き合えば、佐和のことをつい愚痴ってしまいかねない。楽しそうな二人の気分に水を差してしまう。ゆえにろくに腰を落ち着けず、青物町に来てしまうのだ。

「お前のせいで、見てみな。お咲の頰がこけちまってるじゃないか」

おつねは夫婦にさんざん叱られていた。そうじゃないんだけどと胸の中で言いつつ、それも口に出さずじまいだ。

「寒くないですか」とお蔦に訊ねたが、まだ屋根の雀を見やっている。

「雀、お好きなんですね」

「いや、好きなのはあの子さ。子供時分、舌切り雀のお噺が好きでさ。添い寝をしながらよく話してやったものだ。何が気に入ったのか、毎晩、同じ噺をせがむ。そのうちあたしが飽きちゃって、葛籠の中身を変えてみたりしたんだよ。そしたらあの子、すぐに気がついて目を輝かせた」

「舌切り雀ですか」

「おや。まさか、あの噺を知らないのかえ」

「いえ、あれはさすがに知ってます」

だがそれは母の佐和に教えられたものではない。年老いた養い親に教えられたのだ。

二人は、佐和の生家の使用人夫婦だった。

佐和は江戸近在の名主の娘で、お咲の父親は入り婿であったらしい。佐和はお咲を産んでも、亭主を病で喪っても身を飾るのに怠りなく、江戸の呉服商が反物を積んで家を訪れる大八車が延々と引きも切らなかったという。

その挙句、他人に騙されて先祖伝来の田畑を失い、昔の使用人を頼って江戸に出たのだ。お咲はまだ物心もついていなかったので、当時のことはまるで憶えていない。

お咲を老夫婦に預けた佐和は、大店の主の妾におさまった。お咲は長い間、養い親を実の親だと思って育った。

佐和は盆と正月にだけ顔を見せたが、あまりに華やかで怖かった。微かな憧れを抱きながらも近寄りがたくて、いつも養い親の背中に隠れて盗み見ていた。

でもいくつの時だったか、あの人が母親だと聞かされた。信じられなかった。

あたしは今でもどこかで、信じられないのかもしれない。お伽噺どころか、抱き上げてもらった憶えもない。

「倖せですね、染吉さんは」

するとお蔦は「そうかねえ」と、満足げに微笑んだ。

養い親が流行り病で相次いで亡くなった後、お咲は商家や水茶屋で奉公しながら暮らしを立てた。それからだ。佐和が時々、お咲の前に姿を現すようになったのは。そして離縁されて一人になったお咲の前に、まるで見計らったかのようにまた現れた。もう妾奉公はしたくないと言い張るので、一緒に暮らすしかなかった。

あの時、きっぱりとはねつけておけば良かったのかもしれないと、ふと思う。なまじ一緒に暮らしたばかりに、佐和のだらしなさや身勝手を思い知らされることになった。

お咲はあの朝以来、佐和と一言も口をきいていない。佐和が起きる前に家を出て、帰ると佐和はもう床に入っている。しきりと寝返りを打つので空寝（そらね）であることはわかっていたが、声をかける気にもなれなかった。

冬空を見ていると、おぶんの言葉が胸に返ってきて、たじろぐ。おぶんはお咲の肩を抱くようにして戸口まで送ってくれて、低声でこう言ったのだ。

――親子だからって、放っといても気持ちが通じ合うはずだと思うのは大間違いさ。

だからあんまり辛かったら離れたっていいんだよ。母親を捨てたってことを、決して悔いないってぇ覚悟さえあれば。

あたしはあの母親を捨てられるのだろうか。己に問うた。けれど答えは見つからない。嫌悪だけが深まってゆく。

一段と冷えてきたのでお蔦と共に家に帰ると、染吉はもう出た後だった。

「何だい、切り火も打たないで出ちまうなんて。ちっと待ってりゃあいいものを」

お蔦はまた験を気にした。

その夜、お咲は炬燵の中でつい、うたた寝をした。奉公中にとんでもないことだと懸命に頭を持ち上げ、時々、針仕事をするお蔦に目をやる。が、瞼の重さはどうしようもなく、炬燵の温もりに引っ張られるように寝入ってしまっては、目を覚ますを繰り返していた。

物音がして顔を上げた。今、何刻（なんどき）だろう。

そう思った途端、向かいに坐っていたはずのお蔦の姿がないことに気がついた。

「お蔦さん」

呼んでも返事がない。慌てて寝間と台所、厠（かわや）も覗いたがいない。落ち着けと己に言い聞かせた。自力で動ける年寄りがふいに姿をくらませ、家内を捜し回ったことは何度もある。ましてこの家はさほどの広さではない。ただ、この寒い夜に外に出ていたらとんでもないことになると思いながら戸口に向かった。

　ふと土間の際にある小間に耳を澄ませた。そこは、芸妓見習いをしている女中が暮らす部屋だ。板戸に手をかけて引いてみると、お蔦が壁にもたれるように坐っていた。右脚を投げ出し、俯いている。

「大丈夫ですか」

　中に飛び込むと、お蔦は身をぐらぐらと揺らす。酒臭い。

　お蔦はしたたかに酔っていて、抱き起こそうとすると「触るんじゃないよ」と嗄れた声でわめいた。

「どいつもこいつもあたしを馬鹿にして。何が辰巳の風上にも置けないだ。冗談じゃない」

　汚物を吐き散らすかのようにくだを巻き、お咲に喰ってかかった。

「手前ぇ、何様のつもりだ。一人で育ったみたいな面ぁして、あたしの苦労なんぞこれっぱかりも汲んじゃいない。何だい、お前の三味線は。ほんに詰まんない音だよ。弾き手が詰まんない女だから、そんな音しか出やしないのさ。ちったぁ精進したらどうなんだ。そんなこったから辰巳の女なんぞに旦那を取られちまうんだよ、ぼやぼやするんじゃないよ」

　その最中に、染吉が帰ってきた。何も言わずに敷居をまたぐとお蔦の肩をいきなり鷲摑みにし、そのまま引きずり出そうとする。

「何をするんです」

止めに入ると、染吉は鋭い声で叫んだ。

「つべこべ言わずに手伝って。……お前も。でないと、ここで寝られやしないよ」

命じられた女中は三味線を抱いたまま、部屋に入ってきた。

「馬鹿、それはあたしの部屋に先に置いてくるんだ。あたしのいっち大事な道具だってことくらい、わかんないのかえ」

どやしつけられて、女中は棒立ちになったまま泣き出した。

火鉢にかけた鉄瓶が湯気を立て、蓋を持ち上げる音がする。

湯漬けを食べながらも、女中はずっとしゃくり上げていた。よく見ればまだ十五にもなっていなそうな娘だ。

「ほんと気が弱いったら。あんなんじゃ、どのみち続きゃしない」

女中が部屋に引き取った後、染吉は煙管を遣いながら零した。それからずっと起きていて、もう八ツ半になるだろうか。お咲はこんな夜中に本郷まで帰れないので、朝までここで過ごさせてもらうことになった。お蔦は泣いたりわめいたりしてさんざん手こずらせた後、潰れるように寝入った。

「本当に申し訳ありませんでした」

染吉からはあれからも度々、「呑ませないでおくれ」と念を押されていたのである。

が、お蔦は毛筋もそんな素振りを見せなかったし、懸命に療治に努めていた。こちらもつい気が緩んだ。

「もういいよ。それよりお茶淹れとくれよ」

「寝られなくなりませんか」

「何だい、年寄り臭い口をきく。どうせいいよ、今晩はきっと寝られやしない」

「じゃあ、あたしもいただきます」

湯呑を二つ出して、しっかりと濃い茶を注いだ。

「おっ母さん、あの子の部屋に隠してたとはね。考えたもんだ。あの子なら滅多やそこらで気づきやしない。てんで、ぼんやりしてるから」

染吉が言うには、お蔦はいろんな所に酒を隠していて、染吉はそれを見つけるたびに捨て、お蔦はまた隠すの鼬ごっこであるらしい。

「で、呑んだら決まって、若い時分の愚痴から始まる。でもって、仕上げはあたしを罵るのさ」

「若い時分って」

「芸者だった頃のことさ」

「お蔦さん、芸妓だったんですか」

本人は一言たりとも口にしたことがない。が、染吉は湯呑を持ったまま声を潜めた。

「おっ母さんも日本橋でやってたんだけどね。お座敷でしくじって、深川に移ったらしいのさ。ところが大川の向こうは客あしらいから喋り方、身ごなしに至るまで違う。客にもお前は羽織が似合わないなんて腐されて、どうやらそれからしい、深酒するようになったのは。そのうち深川にもいられなくなって、しばらくは在所に帰ってたらしいけど、また日本橋に舞い戻ったのさ。でも芸者として左褄を取ることは許されなかった。あたしだって若い時分は、昔を知る姐さんらにいびられたもんさ。あんたの母親は、ってね」

お蔦は己のしくじりを挽回させてもらえなかった。二度と。

「いっそ堂々と呑ませてあげられませんか。隠れ酒だから良くない酔い方になる」

少し遠慮がちに言ったつもりだが、染吉は両の眉を吊り上げた。

「あんな母親を持った娘の気持ちが、あんたにわかるはずがない。あの人はね、あたしが置屋(おきや)に住み込んで芸妓修業をしている最中にさ、酔って訪ねてきたんだよ。で、この子の父親は名のある大店(おおだな)の主だ、大事に扱えとか何とか見え透いた嘘を吐き散らして、くだを巻いたんだ。あたしの父親なんてね、どこの馬の骨だかわかりゃしないんだよ。日本橋に戻って料理屋の女中をしてた時分にあたしを孕(はら)んだのさ。だから皆、あたしに聞こえよがしに言ったもんさ。女中をしながら、客でも取ってたんだろうって」

女郎扱いをしたと言うことだろうか。我知らず、頬が強張(こわば)る。

「いや、いいんだよ。あたしはわかってる。芸者は色を売るんじゃないってのがおっ母さんの口癖だったから、露骨な枕稼業(まくらかぎょう)はしてなかっただろう。けど、たったひと月やふた月だけ通ってくる男なんて旦那とは言えない。やってたことは女郎と一緒さ」

「でも、染吉さんを産んだ」

「そうさ。だから、いいんだよ。何をして生きてきたかなんて真っ向から煎じ詰めたら、誰だって人様に言えないようなことの一つや二つは隠し持ってるもんさ。けどね、娘に己の夢を託したんならそれを貫くのが筋ってもんだろう。まだ年端（としは）も行かない時分から三味線の撥（ばち）をあたしに握らせて、指から血が噴き出すほど仕込んでおきながら、あたしに大恥を掻かせた。それが、あたしの行末にどれだけ祟（たた）ってきたことか」

それで染吉は、あれこれと世話を焼くお蔦を撥（は）ねつけてきたのだろうか。

互いに黙って茶を啜り、火鉢にかけた鉄瓶の湯気を見ていた。お咲は「あたしも」と、呟いた。

染吉が顔を上げたので、少し迷ってから言い継いだ。

「あたしの介抱人仲間にも、おっ母さんで苦労してる人がいます。お酒じゃなくて、借金をするんですけれど」

佐和の話をしながら、おぶんの言葉を思い出していた。

――あんまり辛かったら離れたっていいんだよ。母親を捨てたってことを、決して悔いないってぇ覚悟さえあれば。

つい、その言葉まで染吉に話した。染吉がそれをどう捉えるかを知りたかったのだ。自身では何をどう考えたら良いのかわからぬまま、わだかまりだけが鬱々と溜まっている。

染吉はしばらく黙した後、寝間を窺うように顔を向けた。障子は閉まっていて、静まり返っている。

「おっ母さんを骨折させたの、あたしなんだよ」

息を吞んで、染吉を見返した。染吉はいかにも勝気な眉を、わざとのように下げている。

「若い、売り出し中の女に長年の御贔屓を取られちまってね、自棄になって帰ってきたら、おっ母さんがまた吞んで絡んできた。もう後先のことわかんなくなって、気がついたら胸を突いていたのさ。そしたら縁側から庭に落ちちまってね。手水鉢で向う脛を打った。打ち所が悪かったら危なかった、殺してたかもしれないと思ったらぞっとした。でもおっ母さんはあたしを責めないんだ。いっそ責めてくれたらこっちも詫びられるのに、あたしが口にしようとすると誤魔化しにかかる。何事も無かったかのように、あたしに触れさせないのさ。けどそのお仲間が言うように、いっそ別々に暮らした方が互いのためかもしれない。もう、きついよ、ほんと」

染吉は弦が切れたかのように首を前に倒し、炬燵に肘をついて額に指を当てる。

お咲は何も言えぬまま、その肘に手を伸ばしていた。染吉もおそらく、「孝」云々で母親と一緒に暮らしているわけじゃないのだろう。互いに身を寄せ合うしかないと思い込んできただけだ。そして母娘の間が近すぎて、こんなふうになりたくないと思うところばかりが目につく。いつか母親を心底、憎んでしまうのではないかと思うと、己が空恐ろしくなる。

そしてお蔦も認めたくなかったのだと、お咲は考えを巡らせる。娘が一瞬でも己に向けた憎悪を認めたくなくて、懸命に早く治ろうとした。

染吉は顔を上げると、「ねえ」と目を合わせてきた。

「あんたのその、知り合いってのは、先々のこと、どう言ってんの」

「いつか寝たきりになったら介抱できるかどうか、自信がない、みたいです。でもきっと、自分がいないとこの人は路頭に迷う、仕方がないって思い込んでるだけなのかもしれません」

「けど、お互い様なんじゃないのかえ。母親って端（はな）っから自惚れてるじゃないか。あたしがいなけりゃ、この子は立ち行かないって思い込んでる」

そしてまたお蔦のあれこれをあげつらい始めた。

「ちっと優しくしたらますます見境がなくなるしさ、邪険にしたら拗ねるだろ。ほんと、手に負えないよ」

「お蔦さんはあれこれと染吉さんの身を案じて、世話をしてくれるじゃないですか。うちなんて縫物どころか、お箸すら洗わないんですよ。家の中の汚し方ときたら、帰るたびに眩暈（めまい）がする……あ、さっきの仲間って嘘なの、とっくにばれてると思いますけど、あたしの話です」

染吉は「口に出しなさんな、野暮だねえ」とばかりに苦笑いをした。

「近所づきあいはろくにできないし、可愛がるのは野良猫だけ。ぽちとか呼んじゃって、ほんと馬鹿みたい。取り柄なんてまるで無いんです。顔が綺麗なだけで」

「へえ。別嬪なのかえ。あんたのおっ母さん」

「ええ。日がな鏡を見てるようなひと。いつも己の身形をやつすことが先で、あたしは人形遊び一つ、相手してもらったことがありません」

「そりゃあ、なかなかのもんだ」

染吉は晴れ晴れとした顔つきで、手を打ち鳴らした。

「何かさ、捨ててもいいんだって誰かに言ってもらったら、気が楽になっちまった」

「ほんと。これでまた泣きを見るんだろうけど、とりあえず、今は怖いもの知らず」

染吉は片眉を上げ、「やれやれ」と笑った。

「馬鹿だね、あたしらは」


土産包みを手にしながら、そろそろと菊坂を上る。

染吉と話しながらいつのまにか寝入ってしまったようで、目が覚めたら肩に綿入れが掛けられていた。寝間の障子が少し開いていたのでそっと中を覗くと、染吉は座敷着のままお蔦に添い寝をしていた。

ふと、染吉の着物の背紋が雀であることに気がついた。

きっと、福来雀なのだろう。

そして書置きをして外に出ると、一面が真白だったのである。ゆうべ、やけに冷えると思ったら、降り積んでいたらしい。朝陽が辺りを照らして、眩しいほどだった。また寝が足りていないというのに、久しぶりに鳩屋に顔を出してから帰ろうと思いついた。

「ただいま戻りました」

前土間に入ると五郎蔵はまだ房楊枝を咥えていて、お徳も寝ぼけ眼で長火鉢の前に坐っていた。が、お咲と目が合った途端、お徳は腰を上げて手招きをした。

「やっぱり。今朝こそやってくると思ったんだよ」

「お前ぇ、毎朝、そう言って待ちかねてたじゃねえか」

「待ったりなんぞ誰がしたってんだよ」

五郎蔵を睨んでから、「いやさ」とお咲に真顔を振り向ける。

「草津の土産を渡しそびれてたからさ。気になってたのはそれだけだよ」

「あの。草津の話をろくに聞きもしないで、愛想なしで」

頭を下げると、お徳は顔の前で手を横に振る。

「ああ、もうそんなの、忘れちまった。だいいち、近所の連中や亭主と一緒じゃあ、珍しいことの一つも起きないんだから。鳩屋で坐ってる方がよほど面白いよ。おつねがいろいろ、やらかしてくれるからさ」

お徳はおぶんと庄助にも、そしてなぜか佐和にも土産をくれた。長屋に帰ったら、今日も「お帰り」の代わりに「遅かったねえ」と言われるだろう。こんな安っぽい土産なんぞと、けちをつけるに決まっている。

その時、間を置かずに何か一言、ずばりと切り返してやろうと、お咲はあれこれと考えながら歩く。裸木も枝のすべてが白く光り、雀が留まって鳴いている。

その途端、足が滑った。

「あ」と叫んだ時はもう転んで、尻餅をついていた。

春蘭

一

「お嬢様と呼ばぬか、無礼者」

お咲が「ご隠居様」と呼びかけた途端、相手の形相が変わった。眉を弓なりにし、瘦せた頬を引き攣らせている。

目の前の相手は旗本、上野家の隠居で、白翁という号を持つ御仁だ。そう、見目は間違いなく男の老人で、端正な面貌に純白の髭をたくわえており、細い髷も艶を帯びた銀白だ。着物の値打ちはよくわからないが羽織はたっぷりと厚みのある縮緬で、袴の折目も新しい。

お咲は目瞬きを繰り返した。

着いた早々、「ここで見聞きしたことは決して他言しない」と誓文を書かされたのは、このためだったのだろうか。そう命じたのはこの家の用人で、大野英之進という男である。

目介抱相手である白翁の座敷に案内されたのは、つい四半刻ほど前のことだ。お咲が見得を済ませると、大野は「客を待たせている」と場を立った。

「すぐに戻って参りますゆえ」

主に断りを入れた大野は用人といってもまだ三十に届いていないような若さで、しかも眉目の整った、大変な美男である。

「ん。ご苦労」

白翁は機嫌よくうなずいて返し、しばらくは二人で穏やかに言葉を交わした。といってもお咲は白翁に問われるまま、隅田堤の並木桜が五分咲きであること、朝から花見客で大層な賑わいであることを話したくらいだ。

「さようか。これから日脚も伸びて、野遊びも愉しみよの」

白翁はそう言って目を細め、座敷の前庭に目をやった。

屋敷は小体ながら瀟洒な造りで、庭の木々もよく手入れがされている。座敷のしつらいは商家とは異なって、静謐な佇まいだ。床の間には山水の墨画が掛かっており、畳床には珍しい花が活けられているのが目についた。

蘭の形をしているが、花の色が萌黄色をしている。何という花なのだろうと思い、お咲は「ご隠居様」と呼んだ。年寄りと話が弾むのはこちらから何か教えを請うことがきっかけになる場合が多いので、初対面ではそれを慣いとしていた。

すると白翁はいきなり激昂したのである。

「わらわはお嬢様ぞ」

身がすくみ上がるほど甲高い声で叱りつけた後、白翁は懐から何かを取り出し、「ねえ」と顔を横に傾げながら語りかけた。その相手が古びた小さな人形だと気づいて、我が目を疑った。稚児髷を結った童女の人形で、桜地に菜の花模様の振袖を着せてある。

白翁は人形をひしと抱き締め、またも噛みつきそうな眼差しをお咲に寄越す。

「お嬢様」

お咲は逆らわずに、鸚鵡返しにした。年寄りに面と向かって「否」を唱えるのは、介抱人が最も避けねばならぬことだ。本人の言い分に誤りがあってもまずは受け入れる。そこからしか、介抱人は年寄りとのかかわりを始められない。

からかわれているのかと戸惑いながら、白翁の目つきが気になった。潤んで白濁した瞳が、じっと凝ったように動かないのだ。ついさっきの目とはまるで異なっている。

もしかしたら、老碌の症じゃないかしら。

白翁にそんな症があるとは、全く承知していなかった。むろん、事前によく訊ねておいても、いざ本人に会えば大概は何かが異なっている。耳が遠いはずの年寄りが実は何でもよく聴き取っていたり、枯れ木のごとく寝たきりであっても、ほんの少しの呼びかけで生気を取り戻すことすらあるのだ。これは身内が老親の様子をちゃんと摑んでいないから、とも限らない。介抱人という他人が接することで、閉ざされていた頭や心にふと風が通るような、そんな瞬間がある。

ただ、話が違い過ぎた。歳は七十四、歩行の際にふらついて雪隠(せっちん)に間に合わないこともままあるが、頭も言葉も至ってはっきりしている。そう聞かされていた。

と、きつい臭いが立った。

白翁はお咲を睨みつけたまま、失禁していた。

上野家に介抱に入ってほしいとの依頼があったのは、年が明けた天保九年、二月も末の頃だ。

依頼主は上野家お出入りという菓子商、丹後屋(たんごや)で、番頭が豊島町(としまちょう)の鳩屋(はとや)を訪ねてきた。

「致仕(ちし)なさる前は上野播磨守清高(はりまのかみきよたか)様というお旗本でして、今は向島の、寿老人(じゅろうじん)で有名な白髭(しらひげ)神社がございますでしょう。あの近くに隠宅を構えておいでです」

番頭が切り出すと、長火鉢の前に坐った五郎蔵が目尻を下げた。

「そりゃあ、結構な。あの辺りは風光明媚、ことにこれからは隅田川沿いの桜が見事でやすな」

「昨日も白翁のご機嫌を伺いに参じましたが、そろそろ蕾も膨らんでおりましたよ。気の早い連中がもう呑んで歌っておりましたが、まだ風は冷たいですからね。小唄の合いの手にくしゃみが入るような按配で」

番頭は商人らしく、如才(じょさい)ない物言いだ。五郎蔵は「うん、うん」と胸の上で腕を組み、口の中で唾をするような音を立てた。

「あっしは花より団子、花見より長命寺の口ですがね。あすこの桜餅は滅法、旨い。葉っぱの塩気と餡の甘さがこう、舌の上で混じるってのかなあ。何とも堪えられねぇんだ」

女房のお徳が「ちょいと」と、隣の五郎蔵の尻をつねる。

「痛っ、俺の尻にちょくちょく、ちょくちょく。何の用だ」

「そのお口を閉じなっつってんの。丹後屋さんはお菓子の商いをしておいでじゃないか。何が桜餅だ」

お徳は「ねえ」と番頭に頭を下げてから、お咲にも「困ったもんだ」と目配せを寄越す。

お咲はちょうど躰休めの日で、しかも久しぶりに二日続けての休みだった。ところが菊坂台町の長屋にわざわざ下女の遣いが来て、「今日、明日のうちに顔を出してほしい」との言伝だ。何事だろうと買物のついでに足を運んで間無しに、丹後屋が訪れた。呼び出された用件はわからぬまま、板ノ間の端に控えている。

「いえ、あたしどもはもっぱらお大名家の御用を承る店ですので、商い敵とはなりません。どうぞお気遣いなく」

「ほら、見ねえ」

五郎蔵が片肘でお徳をつつき返したが、お徳は相手にしない。

「その、向島に隠宅を構えておいでということは、当主ご一家とは別居なすってるんですね。立ち入ったことをお訊ねするようですが、介抱先のご事情はどなた様にも伺うことになっておりますので」

いきなり介抱先の身の上に話を向けた。

「おっしゃる通り、白翁はお独りです。初めの奥方と離縁されて後、後添えをお迎えになりましたがそのお方も里にお戻しになって、以来、独り身を通しておいでですので実の御子はおられません。家督は遠縁からお迎えになったご養子にお譲りになられまして」

「さいですか。まあ、お武家でも大店でも養子の縁組は頻繁でございますからねえ。ただ、あれでございましょ、介抱はご当主がなさっておいでなんでしょう。何といっても、忠義孝養を尽くされるのがお武家の本領でございますから」

鳩屋に武家の介抱依頼が来るのは、初めてのことだ。

その理由をお徳は以前、茶飲み話にこう話していたことがある。

幕臣の場合、病を理由に奉公を退きたいと願い出るのは四十歳からと定められており、老いによる隠居は七十を超えてから認められるものであるらしい。諸藩でもおよそ同様で、家臣は主君への奉公が第一であるから、自身の希望で好きに退くことはできないのだ。

——お武家様ってのは五十からが本番だってさ。頭が艾みたいに白くなってから大事なお役に就いて、六十で周囲を指揮するお立場だ。で、七十に至ってやっと家長としての役割を子に譲り渡す。七十まで現役を通すのは躰もさぞきついだろうし、町人なんぞ四十を過ぎたらとっとと隠居して好きに暮らす人も多いからね。まあ、御城勤めは気随気儘には生きられない、とかく縛りの多い身の上さね。ただざ、お旗本や御家人は当主の座から下りても御公儀から隠居料を頂戴し続けるわけだし、親に孝養を尽くすのが務めみたいなとこがあるだろう。家を継いだ子は親が老いて臥せったら、我が手で介抱する。まして『看病断』ってえ届を出したら、勤めを休むことも御公儀が認めてなさる。だから皆、介抱や看取りに専念できるんだよ。

そしてお徳はこう口にしたものだ。

——他人の手に委ねるのは二本差しの恥とでもお考えなんだろうね。使用人の手を借りることがあっても、介抱の差配は当主が揮いなさる。だからことお武家様については、鳩屋にお申しつけの儀は無いってことさ。

お咲はその言葉を思い出しながら、丹後屋の番頭を見た。五郎蔵ももはや軽口を叩くつもりがないらしく、番頭がお徳の問いにどう答えるかを待っている。

番頭は「ごもっとも」とうなずいてから、口を開いた。

「ご当主は自ら御前のお世話をしたいと、申し出られたようにござります。ただ、看病による欠勤は親子同居の場合に限ってという決まりらしく、さようでない場合は手続きが何かと面倒らしゅうございますから、御前は辞退されたようですね。一にも二にも御公儀への奉公に専念せよ、身共は已でいかようにも致すゆえ、放念されたしと言い渡されたそうにござります。まあ、独居といえども町方のそれとは違い、使用人も大勢おられるのですが、どこかで鳩屋さんの噂を耳にされたそうで。かような生業があるのであれば雇うてみるのも手かと思いつかれたようで。ご用人を通じて私どもにご相談がござりました」

「ということは、私どもへの依頼はご当人のご意思ですか」

「はい、ご用人からそう伺っております。ご承知とは存じますが、念の為に申し添えておきますと、白翁は前の公方様、つまり大御所様の長年のご側近であられたお方にござります。ご隠居されてから早や四年ほどになられますが、大御所様からは今も登城のご催促があるほどと伺っております」

「そりゃあ、てぇへんな大物だ」

五郎蔵はかたわらのお徳に肩を寄せ、口許に掌を立てた。

「おい、介抱先がお武家にも広がったらますます忙しくなるぜ。こりゃあ人手を増やさねぇと、追いつかねえな」

繁盛を当て込んで先走っている。お徳は亭主を見向きもせずに、「丹後屋さん」と話を進めた。

「肝心なのは、そのご本人なんですがね。どういったお具合ですか、老いの症は」

「歩く際にふらついて雪隠に間に合わないことがままあるらしいのですが、頭も言葉も至ってはっきりしておられます。物覚えも若い者に引けを取りませんし、私どもにも至って気さくで、洒脱なお振舞いをなさる。お姿もそれは見栄えのなさる御仁でしてね、とても七十四には見えません。お顔には染み一つ、黒子だってありはしません」

「じゃあ、まだ介抱人なんぞ要らないんじゃありませんか。人手が足りないとおっしゃるなら女中で充分です。手前どもには、若い時分にお屋敷奉公をしていた者もおりますよ」

お徳は珍しく、せっかく舞い込んで来た話に乗り気を示さない。五郎蔵は不思議そうに首を傾げてから、番頭に向かって「どうも、すいやせんねえ」と愛想笑いをした。

番頭は「いいえ」と、膝の上に置いた己の手を重ねる。

「まあ、世情に疎くなるは老いの始まりと言い暮らしておられるお方ですから、物の話の種にと思いつかれたのでしょう。介抱人とはいかなる生業であるのか、大層、興をそそられておいでのようで」と、引かない。

「ところで、ここにお咲という名の女中がいると伺いましたが」

すると五郎蔵が間髪を容れずに答えた。

「おりやすぜ。……そこに坐ってんのがお咲です」

番頭と目が合ったので、挨拶をする。

「何で、お咲のことをご存じで」

「白翁ですよ。書画や句会のお仲間も多うございますから、どなたかがお咲さんのお世話になったのでしょう。臥せって外に出られなくなってた方が杖をついてまた顔を見せるようになられたとか、鳩屋のお咲に良くしてもらった、身内ではああは行かないと、それは大変な褒めようだったそうです」

そして番頭はお徳に目を据えた。

「お咲さんを寄越してくださるのであれば、介抱料は少々、色をおつけしましょう。ちょっと調べさせていただきましたが、介抱料は下女奉公の三倍ほどでございましたね。お咲さんの場合はさらに上乗せされて、いやはや、大した稼ぎっぷりだ。並の腕の大工の倍は稼いでおられるんじゃありませんか」

お咲は驚いて、「え」と声を洩らしそうになった。「この鳩屋が潰れたら困る人がいる、うちは何が何でも潰れるわけにはいかない、そういう商いをしてる」が、お徳の口癖ではある。にしても、今のお咲の受け取りは、ひと月でおよそ十貫文ほどだろうか。女にしては稼いでいる方で、番頭が言う並の大工ほどだろう。その倍となれば、鳩屋は口入料をどれほど手にしているのか。

頭の中で勘定が追いつかなくなって、溜息を吐いた。

まったく。この夫婦は銭箱を開けるたび、笑いが止まらないでしょうよ。

五郎蔵はお咲が呆れ返っていることに気づいたのか、きょとりと目を逸らし、わざとらしい笑みを番頭に振り向けて「茶を淹れ替えやしょう」と急須を持った。

番頭は交渉の相手をお徳だと決めてかかっているようで、膝で前に進むと「女将さん」と呼んだ。懐から何かを取り出している。算盤だ。

「こんな具合でいかがでしょう」

算盤を横目で睨んだお徳は「それじゃあ、話になりませんよ」と、相手の手の中にある珠を弾く。

「何せ、お咲は引く手数多ですからね。このくらいいただかないと」

「足許を見過ぎですよ。お支払いはこの丹後屋がきっちりと致しますゆえ、その安心料も汲んでいただいて、どうです、こんな具合で」

ぱちり、ぱちりと珠の音が行き交う。五郎蔵は急須を手にしたまま茶葉も入れず、二人の手許を懸命に覗き込んでいる。

「じゃあ、この辺りにしましょうかね。勤めは三日泊まり込んで、一日休みをいただきますよ」

「これほどの給金を取ったうえ、休みまで取るんですか。奉公人は皆、盆と正月しか休めぬのが尋常ですが」

番頭がとうとう目の端を尖らせたが、お徳は平然としている。

「介抱は、お年寄りの症によっては夜もろくすっぽ横になれない、そりゃあ過酷な仕事なんです。寝が足りないままお世話をして、万一、粗相があっては先様に申し訳が立ちませんからね。お咲が休ませていただく日は違う者を行かせます。それがいけないということでしたら、このお話はご破算に願いましょう」

本当は、ろくろく休みも取れぬまま、十日も立て続けに泊まり込むこともある。ことに近頃は初めての依頼主の家に入ることが多く、相手の信頼を得てから他の介抱人につなぐというやり方が増えている。他人に介抱を任せることに本人と身内を慣れさせる、それもお咲の務めなのだ。身内によっては引け目を感じて余計な手出しをしたり、費えの分だけちゃんと介抱しているか、鵜の目鷹の目になる家もある。

番頭はしばらく思案していたが、「承知しました」とお徳の言い値を受け入れた。お咲の仕事の埋まり具合を見て、向島の隠宅には三月、雛の節句を過ぎてからの約束を交わした。

「ただ、屋敷の中で見聞きしたことは決して他言しないように願います。おそらく誓文を入れることになるでしょうが、それはご用人の指図に従ってください」

番頭が引き上げた後、五郎蔵は「お前ぇ、粘ったなあ」とお徳に呆れ顔である。

「相手はお武家様だからね。粗相があったらどれほどの大事になるか、知れたもんじゃない。だから本気で断るつもりで吹っ掛けてみたのさ。それでも向こうは乗ってきた。これは何かあるね」

「そんな、勘弁してよ。あたし、お手討ちとかになるの、やだよ」

ぞっとしたが、お徳は笑って煙管を手にした。

「今どきのお武家様が、そんなことするもんかね。近頃は皆、いかに元気で長生きするかに気を砕いてなさるんだよ」

五郎蔵が思い出したように、お咲を見た。

「そういや、今日、来てもらったのは他でもないんだがな」

「そう、それだ。何かあったの」

するとお徳が「お前さん、その話はまたにしよう」と五郎蔵の袖を引いた。

「けど、お前ぇ」

「いいから。お咲は大仕事の前なんだよ」

首を傾げる亭主をよそ目に、「さあて」と景気よく手を打ち鳴らした。

「向こうさんからのご指名だ。しくじらないように励んどくれよ。給金については悪いようにはしない。精々、お稼ぎ」


たしかに大仕事になりそうだ。

「お着替えをいたしましょうか」

静かに呼びかけてみたが、白翁はまだお咲を睨めつけている。同じ長屋に住むおきんの目と同じだ。具合の悪い頃のおきんはこんな目をして、あらぬことを口走っていた。やはり老碌だ。呆けの症が始まっているのではないか。

廊下で足音がして、振り返れば用人だ。

「大野様」

大野はお咲の呼びかけに応えもせず、障子の陰から座敷の様子を窺った途端、低声で命じる。

「後で用人部屋に参れ」

言い終わらぬうちにすっと踵（きびす）を返し、そのまま摺足（すりあし）で廊下を引き返していく。

まさか、逃げたの。

お咲は茫然（ぼうぜん）と、その後ろ姿を見た。

二

白翁の昂奮が鎮（しず）まるのをじっと待ってから、お咲は身を近づけて声をかけた。

「お嬢様、お着替えのお時間です」

白翁は微かに眉根を寄せたが、もう抗（あらが）わない。介添えをして褥（しとね）の上から立たせ、続き間に移った。

部屋の隅には黒漆（くろうるし）の広蓋（ひろぶた）があり、見れば白絹の襦袢（じゅばん）に着物と帯も綺麗に畳んである。失禁で汚したものを脱がせる前に湯の用意だと思い立ち、部屋へ引き返すと廊下に桶が置いてあった。下男らしき男がそそくさと廊下の角を曲がる。桶の中に指先を入れてみると少し熱い程度の湯で、手拭いが何枚も入った小籠（こかご）も添えられている。

やっぱり。主が攪乱（かくらん）を起こしているのをわかっているのだ。

桶と籠を抱えて座敷に戻り、白翁の下の世話をした。

「綺麗にいたしましょう。少しばかりのご辛抱でございますから」

話しかけながら、手早く躰を拭いていく。春も盛りとはいえ、脚の付け根から股を拭くうちに手拭いはすぐに冷たくなる。温かい湯に浸し直してしっかりと絞り、尻も拭き上げた。下帯は年寄りの場合、浅黄色が多いものだが、真新しい白だ。けれど白翁の肌は荒れ、瘡ができていた。臭気も強い。

お咲が世話をしている間、白翁は身じろぎもせず、色が薄くなった瞳を天井に向けている。

「袴はつけぬ」

はっとして顔を見上げたが、白翁は目を合わせてこない。声音は落ち着いている。

「着流しでよろしゅうございますか」

「ん」

「しばらく横におなりになりますか」

「ん」

そこに蒲団を敷き、白翁を寝かせる。薄い掻巻を掛け、枕屏風を立てた。

その間に汚れ物を洗い、畳も拭かねばならない。尿は褥ばかりか、畳をも濡らしていた。すると頃合いを見計らったかのように何人もの使用人が入って来る。お咲の腕の中から着物を奪うように取り、さっそく畳の上に屈んで拭いている者もいる。

「お寝みになっているので、お静かに願います」

申し入れると、中の一人が「承知しておる」と声を潜めた。

「その方はご用人部屋へ向かわれよ。大野様がお待ちだ」

急かされるままに廊下に出た。ふと奇妙な心持ちがして、座敷を振り向く。

七人ほどの使用人が音もなくひっそりと動いているが、皆、男ばかりだ。そういえば、この屋敷の中でまだ一度もおなごの姿を見ていない。

教えられた通りに廊下の角を曲がり、さらに歩を進める。陽射しの届かぬ屋敷内はぞくりとするほど、足裏が冷えた。思わず、懐に入れた守り袋に手を当てる。

お義父さん、あたし、大変な介抱先に来ちゃったみたいです。何だか、厭な予感がしますよね。ねえ。……ああ、だからお武家なんてやだったのに。

用人部屋を訪れると、大野は何事もなかったかのような顔色で、悠々と坐している。あんな場から逃げたにもかかわらず、それを恥じる素振りも見せない。また腹が煮えてくる。

武家のことはよくわからないが、ご用人といえば商家なら番頭のような役割ではないか。主君がただならぬ事態に陥っている時に用人が逃げたりするから、他の使用人も皆、様子見をするのだ。間に合わない。

「その方、どう診立てた。御前はやはり老碌であらせられるか」

「私は医者ではありません。介抱人です」

思わずつっけんどんな物言いになったが、大野は微塵も眉を動かさない。

「医者は口が軽いゆえ、御前はその方をお雇いになったのだ。答えよ」

「お待ちください。ということは、ご隠居様が、いえ、お嬢様はご自身の症にお気づきなんですか」

「某の前では、御前で良い。いかにも。攪乱の間のことは憶えておられぬようだが、朧気に察しをつけておられる」

「いつからですか、症が出るようになられたのは」

「昨年の秋だ」

「じゃあ、半年も経っているんですね」

そんなに放っておいたのかと思うと、溜息が出る。

「お察しの通り、おそらく老碌が、呆けの症が始まっておられると思います」

そう告げると大野は額に指を当て、しばらく黙り込んでいる。つと、目を上げ、素っ気なく命じた。

「御前がお目覚めになって、そのご様子次第では御目見得をやり直すゆえ、それまでは自室に控えておれ」

「やり直す、んですか」

大野は黙ってうなずいた。

昼八ツを過ぎた時分に、ようやく使用人が呼びにきた。座敷には大野がもう坐っていて、白翁は右手の床の間の前に、大野はその斜向かいに坐している。敷居際の廊下にいったん膝を畳んで手をつかえると、大野に「入れ」と命じられた。

白翁の真正面になる下座に進み、再び辞儀をした。大野が白翁に紹介する。

「この者が鳩屋から参りました介抱人にござります」

「面(おもて)を上げよ。苦しゅうない。名は何と申す」

お咲は名を答える。ここまでは、朝とまったく同じやりとりだ。

「介抱人であるな」

「さようにござります」

「わしはやはり、老碌であるらしいの」

驚いて大野を見た。当の本人に話したらしい。いったいどういう料簡なのか、大野の気が知れない。

「有体(ありてい)に申せ。いかほど悪いか、教えよ」

白翁に命じられて、また答えに窮する。そんなことを訊ねられるとは思いも寄らない。

「それはわかりかねます。本当です。むろん、御前のような症のお方はこれまで何人も介抱して参りました。ただ、症はお一人おひとり異なるんです。生き方が違うように老い方もまたそれぞれで、ですから他のお方と比べていかほど良いか悪いかなど、私には判じられません」

正直に口にした。お咲には、こうとしか言いようがない。

白翁は脇息(きょうそく)に肘を乗せ、「なるほど」と呟いた。

「手蔓(てづる)はないのか。己のことであるのに、わしは何も知らぬままか」

その言いようはあまりにひっそりとしている。「申し訳ありません」と詫びた。それにしても、これほど己の症を知りたがる御仁は初めてだ。

丹後屋の番頭は、白翁が至って聡明な殿様だと言っていた。自らの老いにこうも気を注ぐとは、これはお武家ゆえのことなのだろうか。それともお年寄りは本当は誰しもが知りたがっていて、けれどそれを口に出さないだけなのか。

あたしはこれまで、とんでもない何かを見逃してきたんだろうか。

息を呑み下した。大野と目が合う。気がつけば膝を動かして、問うていた。

「大野様。昨年の秋、初めて気づかれたとおっしゃっていましたね。次はいつ、いつ気づかれましたか」

黙っている。

「答えよ。咲に有体に申せと命じたのだ。その方も答えねばならぬ」

白翁に促されて、大野は観念したかのように口を開いた。

「初めは某の思い違いかと存じました。束の間であったのです。ほんの一瞬、木の葉が風で葉裏(はうら)を見せるように、妙なことを口にされた。気になりましたが、若い者でもさようなことはございますゆえ。ところが師走に入ってから、攪乱を起こされました。その時は某がおわかりになりませんでした。が、半日もすれば己を取り戻されて、まるで悪い夢でも見たような気がいたしたものです」

それはお咲が以前、突如、老碌の症を起こした年寄りを前にして持った感じと通ずるものがあった。大野は白翁を傷つけぬように言葉を選びながら、しかし誤魔化そうとはしていない。

「ただ、今年に入ってからは半月に一度、そして十日に一度と、だんだん間が短くなってきております。やがて御前が自ら気づかれて、時折、靄の中を過ごしていたように記憶が曖昧な日があるとおっしゃるようになられました。さりながら、よもや今日、攪乱が起きるとは想像だにいたしませんでした」

「それは何ゆえだ」

「前回は、二日前にございました」

大野はひと思いにそれを告げたのだろう、膝の上に拳を置いたまま白翁に小さく頭を下げると、目を伏せた。

「さようか。思うたより、進んでおるの」

白翁は脇にある煙草盆を引き寄せた。手にした煙管は女持ちの物のように華奢だ。銀の吸口には草花の文様だろうか、細かな彫りが施してあり、細い羅宇は黒みがかっているが紅色を含んでいる。

お咲の眼差しを掬うように白翁は口の端を上げ、悠然と火をつけた。

お咲の介添えで前庭に下りた白翁は、いろんな庭木を見上げながらそろそろと歩く。下男が何人も庭の手入れをしていて、白翁は上機嫌で言葉を交わしている。

「楓が若芽をつけておるの」

「木蓮（もくれん）もそろそろ花を咲かせよう」

木々を慈しむようにその名を呼び、頰を緩める。

お咲は白翁と共に庭を巡りながら、また舅を思い出した。身分は違うが、仁左衛門も白翁のように端正な面貌を持っており、そしてこんなふうに庭を眺めて、「今年は暑い夏になりそうだから、剪定（せんてい）を抑えさせよう」などと、植木屋への指図を心組んだりしていた。

「お義父さん、剪定を抑えるとはどういうことですか」

不思議に思って訊ねると、仁左衛門は木々に目をやりながら「枝葉を刈り込み過ぎないということだ」と言う。お咲は少し意外だった。

「枝葉をすっきり刈った方が風も通りますし、見た目にも涼しげな庭になるでしょうに」

すると仁左衛門は目許をやわらげた。

「お前もそう思うかね」

「ええ。町の子供らは汗疹（あせも）防ぎに、頭を丸坊主にしますもの」

「私もね、まだ若い時分で登美も嫁いできていなかったが、植木屋の先代に言ったものだ。庭の夏支度をしに入ったはずなのに、どういうことだい、大して剪定してないじゃないかってね。いや、これでよござんすなんて親方が澄ましてるから、ちと向かっ腹が立った。跡目を継いだばかりだったから、さては甘く見られたかって。で、手抜きは許さないと強く出たんだ」

穏和で物静かな仁左衛門にも、そんな若い頃があったのかと驚いた。

「お義父さんが、ですか」

「ああ。そしたら雷を落とされてね。庭木の枝葉を落とし過ぎたら、とくに今年みたいに暑さが厳しい年にそうしちまうと、夏を乗り越えられねぇんですよ。木は根から水を吸い上げているだけじゃねえ、葉も使って生きてんだ。その手立てを奪ったら、滋養が不足して弱っちまう。下手すりゃ、枯れ上がるってね」

そして仁左衛門は、懐かしそうに笑った。

「昔はああいう、施主(せしゅ)にも真っ向から物が言える職人がいたね。随分と教えられた」

そういえば自身の介抱についての話し合いになった時、仙太郎と登美が親戚の手前を繕うような思案を出し、しかし仁左衛門はそれをきっぱりと退けたことがある。

——それはいけない。かりにも父親の介抱だ。体裁を繕うとは、孝に悖(もと)る。

そのおかげで、あたしはお義父さんの介抱をさせてもらえたのだ。

懐にいる、銀の猫に呼びかける。

お義父さん、こうしていると、お義父さんの介抱をまだ続けているような気がしますよ。

お咲は白翁の腰に回した手を動かして、そっと背中をさすった。

「あれじゃ。あの花を摘むと良い」

　白翁は右手に持った杖を少し持ち上げて示した。そこは十本ほどの木が植え込まれた築山だ。春の木漏れ陽を受けて若緑の葉が光る。目を凝らせば、根許の草々の中に萌黄色の花が見えた。

　――お嬢様と呼ばぬか、無礼者。

　甲高い声が甦って、お咲は目を見開いた。この花だ。床の間に活けられていたこの花の名を訊ねようとして、つい「ご隠居様」と呼びかけた。その途端、白翁の形相が変わったのだ。二日前のことで、あれ以来、攪乱はまだ起きていない。

「花だけを摘んで台所の者に渡すが良い。しからばいずれ、蘭茶が楽しめる」

「蘭茶、ですか」

「ん。桜の花の塩漬けを使うて桜湯を呑むごとく、春蘭の花を塩漬けにするのじゃ。蘭茶と申しての、なかなか風流ぞ」

「この花、春蘭と言うんですか」

「別の名もある。爺婆草と言うのじゃが、わしは実に気に入らぬ」

　子供のように口を尖らせるので、お咲は少し可笑しくなる。

「確かに、ひどい名でござりますね。でも、何でそんな名がついたんでしょう」

　白翁が杖を前に出した。築山に近づこうとしていることがわかって、白翁の腰から手を離さぬように身を寄せる。万一、転びそうになれば背後から帯の結び目を持つ、そんな気構えで共に歩くのである。

「まあ、蘭の花はいずれも淫靡な形をしておるものでの。春蘭も男とおなご、その両方の形を持っているように見える。ほれ、ここの雄蕊は男の物に、この唇のごとき花弁はおなごの物に見立てられよう」

返答に困ったが、いい歳をしてとぼける方が厭らしいような気もする。春蘭に向かって腰を屈めた。

「ほんに。そう言えば、さようにござりますね」

白翁は腰を伸ばすようにして身を立てると、満足げに笑った。

「春蘭はやはり、春蘭と呼ぶが美しい。男とおなご、その両方を具えた花らしい名じゃ」

台所に春蘭の花を届けると、使用人が皆、心得顔で受け取った。

「蘭茶を召し上がるのが、御前の春の慣いにござりますゆえ」

庭の手入れをしていた下男らといい、台所の者といい、どうにも解せないと、首をひねりながら廊下を引き返した。主である白翁と気持ちを通わせているのが、何となく伝わってくるのである。

用人の大野もしかりだ。白翁が攪乱を起こした際は逃げるように去ったのに、実の子息でもこうは行くまいと思うほどよく仕えている。老親に向かって子供に物を言うような口をきく倅や娘がいるが、家臣である大野はむろんそんな無礼には出ない。口数も少なく、機嫌を取るような言葉を弄することもない。ただ、朝な夕なに付き添い、膳の際も必ずそばに控えているのだ。

白翁も大野の姿がそこにあるだけで安心していることが、お咲にもわかる。しかもこの屋敷は隠宅にもかかわらず来客が多い。その捌きも大野が一手に引き受けているようで、屋敷内の使用人の差配も行なっている。その勤めぶりは、ほとんど横になる時もないのではないかと思われるほどだ。

けれど大野は白翁が着替えをする際は、いつのまにか姿を消す。事前に聞いていた通り、時折、雪隠に行くのが間に合わないので、下の世話はそのつど、お咲が行なう。多い場合は大小で日に三度、着替えをさせねばならない。ところがその最中、大野は決まって姿を消している。白翁も大野が座敷にいる間は決して粗相をしない。

同じ男同士であるのに、しかもこれほど信頼し合っている主従であるのに何故なのだろう。

いや、奉公してまだ三日だ。そのうちわかることはわかるだろうし、わからなくてもいいと思うかもしれない。とつおいつするうちに廊下の角を折れた。

「いかにも。大御所様には今も時折、お召しをいただいて、西ノ丸に伺うておる。いやいや、致仕いたしてもかような誉に与ろうとは思いも寄らなんだ」

庭越しに白翁の声が響いてくる。座敷に客を通すとは大野から何も聞いていなかったが、上機嫌だ。

「これは蘭茶と申しての。ここの庭で摘んだ春蘭ぞ。いや、あの絵師が描いた春蘭はわしは感心せぬな。はあ、大奥の老女でござるか。歴代の何人かは懇意にしており申したが」

座敷の前でいったん膝をつき、そっと中を窺った。大野と目が合えば、「自室で控えておくので、客が帰れば呼んでほしい」と小声で伝えておくつもりだ。

中の様子を見た途端、お咲は口に手を当てた。

白翁は一人で、空に向かって話していた。

三

翌朝、豊島町の鳩屋に帰ると、おぶんが訪れていた。

深川で干鰯問屋を営む家の女隠居であるおぶんは、相変わらずおきんを何日かおきに見舞って、介抱を助けてくれている。

「お疲れさん。どうだった、殿様は」

五郎蔵とお徳に様子を訊かれ、お咲は首を横に振った。

「お屋敷内のことは口外しないことになってんの、忘れたの」

おぶんの前でありながら、少しきつい言いようになった。昨夜は一睡もしていない。

白翁は昨日、我を失って喋り続けたままで、大野のこともわからなかった。夕の膳も取らず、寝入ったのは夜更けだ。だがいつ目覚めて、そしてその時、白翁がどんな状態であるのか、それをたしかめぬことには寝む気にはなれなかった。

むろん大野も付きっきりだ。二人で黙って白翁を見守り、そのまま夜が明けた。やがて目が覚めた白翁は何度か目瞬きをして、怪訝そうに「大野、如何した」と訊ねた。お咲は心底、安堵して、総身から気が抜けた。

いや、その実はそう安心してもいられないかもしれない。いっそこのまま休みを取らずに残っていようと思い、大野にもそう申し出てみたが、やはり「それはならぬ」と反対された。

「約定を違えるわけにはいかぬ。その方はいったん帰れ」

鹿爪らしい面持ちで、大野は命じた。

「お咲、もういいんだよ」

お徳が妙なことを言う。五郎蔵が茶を淹れて、「まあ、一服しねえ」と湯呑を出す。

「もういいって、どういうこと」

「丹後屋さんがさ、三日の勤めが終わったら後はもう結構ですって、断ってきなすったんだよ。昨日」

「そんな。あたし、たった三日でお役御免になったの。けど大野様はそんなこと、一言だって言ってなかった」

己でもびっくりするほど狼狽えて、口がちゃんと回らない。

「まあ、お聞き。だから、断ってきたのは丹後屋さ。丹後屋はご隠居の病態に察しをつけて、見切りをつけたらしい。介抱料は歓心を買うための、まあ、賄賂みたいなものだったんだよ」

「さっぱりわかんない。何を言ってるの」

するとおぶんが、「いやさ、あたし、昨日、ここに寄っててさ、たまさか居合わせたんだよ」と、こちらに膝を向けた。

「丹後屋の番頭がやって来た時にさ。まあ、じっと坐ってるのも何だから奥に引っ込ませてもらったんだけど、あの有名な上野の殿様の話だもんで、ついね、耳を澄ませちまった。耳のいいのと行儀の悪さは生まれつきだからね」

おぶんが剽げるように肩をすくめると、お徳と五郎蔵が調子を合わせて笑い声を立てた。が、お咲はちっとも可笑しくない。憮然としたまま茶を飲むと、おぶんが「あれあれ、これはよほど疲れてるね、この子」と苦笑いをする。

「丹後屋が何で断ってきたのか、あんた、不服そうだから教えてやろうと思ったんだけど。じゃ、いいんだね」

「ちょっと待って。それは、教えてください。お頼みします」

頭を下げると、「なら、しょうがない」とおぶんは言葉を継いだ。

「あの殿様は大御所、つまり前の十一代将軍、家斉公が隠居される前から、それは可愛がられたお旗本でね。風流、才知に長けて、そりゃあ家斉公の信頼が厚かった。いや、それは本当だよ。あたしゃ、これでも相模屋を切り盛りしてきた女だ。世情に疎い方じゃない。で、公方様の側近ともなれば、お大名や幕臣、商人がこぞって屋敷を訪れて門前に列を成す、これは今に始まったことじゃないさね」

あまり面白いとも思えぬ話なので曖昧に相槌を打っていると、おぶんは何を勘違いしたのか「え、お咲にはその理由がわかんないのかえ」と迫ってくる。

「ぜんぜん、わかりません」

「下心があるからに決まってるじゃないか。お大名や幕臣は御公儀での役職や官位、商人は商機の斡旋を願うのさ。上野家にゃあ金品の贈物が絶えず寄せられて。まあ、そんな黒い噂が隠居してからも尽きなかった。何せ、大御所の権勢は隠居なすっても衰えるところを知らずじゃないか。ということは、白翁の力を当て込む輩も減らないってことでね」

たしかに客の多い屋敷ではあった。でも賄賂云々が、どうにも白翁と結びつかない。用人のあの大野が捌いていたのかと思いついたが、お咲自身は何も目にしていないのだ。風聞をそのまま信じる気にはとてもなれない。

「白翁がこうも世間の耳目を集めるのは、もう一つ理由がある」

五郎蔵が「え、まだ何かあるんでやすか」と腕組みを解いた。

「白翁は女嫌いで知られてるお人でね。でも自身はおなごの持ち物を揃えてるんで、十歳くらいまで大奥で育ったんじゃないかって噂があるんですよ」

「んな、馬鹿な。大奥って、あの大奥でやしょう。白翁は男じゃねぇですか」

するとお徳が「ううん」と首を横に振る。

「あたし、まだ子供時分にそんな話、聞いたことがあるよ。大奥に女中奉公してたってぇ人が近所に嫁いできてさ、そりゃあ綺麗な、上品な人だったけど、今から考えたら口が軽かったんだね。うちのおっ母さんが訊きたがるもんだから、いろいろ喋ってたよ。でさ、大奥じゃあ男の子も九つくらいまでだったら女の子と偽って、部屋子として育てるんだって、そんなことを言ってたよ」

「へやこって、何でえ」

「大奥の中でもそりゃあ力を持った、偉いおなごらがいるんだろ。給金なんぞご老中と変わんないんだってよ。でさ、そういうお人らは屋敷みたいに広い部屋を持って、女中も自前で何十人も雇うらしいよ。部屋子ってのは、その自分ちみたいな部屋で我が子のように育て上げる子のことさ」

「何でそんな七面倒なことをする」

「実の親はいずれ大奥で奉公させるために、我が子を預けるのさ。預けられた方は生え抜きの女中として鍛え上げるらしいけど、幼い間はたっぷりと贅沢をさせて養育する。下女らにはお嬢様と呼ばせて、蝶よ花よと育てるらしい」

「お嬢様……」

お咲は口の中でそれを繰り返した。もしかしたらと思った途端、なぜなんだろう、無性に切なくなった。白翁のそばに馳せ参じたくて、居ても立ってもいられないような気持ちさえ湧いてくる。

「あと数日でいいから、あたし、行きたい」

思わず、口に出した。五郎蔵が「どこに」と言う。

「向島。白翁のところに。あたし、まだ何もできていないのよ。給金は要らないから、あと三日だけ、お願い、行かせて」

「借金を抱えてる身で、何を甘いこと言ってんだい」

お徳の煙管が、火鉢の端で音を立てた。

「あたしらの稼業はね、注文が途切れたらそこで終いじゃないか。いかほど気になったって、こっちから押しかけるわけにはいかない。最期まで看取りたいと願ったって、先様がもういいと言ったら引くしかない。あんたはとうにそんなこと呑み込んでると思ってたけど、見込み違いだったかえ。ああ、青臭い」

お徳が本気で怒っているのがわかった。

そうだ。あたしはいつも折り合いをつけてきた。次の介抱先が待っている。己にそう言い聞かせて、後ろ髪を引かれる思いで他の介抱人につないだり、依頼の中断を受け入れてきた。風の便りで亡くなったことを聞いても、落ち込んだりしない。

でも、虚しくないか。

己にそう問う声が響く。ずっと抑えてきた、それはお咲自身の声だ。

おぶんが「ふう」と溜息を吐いてから、静かな声を出した。

「上野の殿様ももうお歳だ。老いもいよいよ進んでいなさるだろう。けど、ご家来はまだいるんだろ」

お咲はうなずいて返した。

「たった独りで侘び住まいをしてる年寄りだって、世の中にはたくさんいる」

「でも、あたしはそういう人らの役には立てないじゃありませんか。そのお人に介抱人を雇う甲斐性がなければ、出番はない」

「その通りだ。だから目の前の、一人ひとりと向き合うしかないんだよ。それが縁ってものだ」

それからしばらく、誰も口をきかなかった。


ぼんやりと、帰路についた。

「まあ、ともかく家に帰って寝な。目が半分もふさがってるぜ」

鳩屋の暖簾の前で、五郎蔵にぽんと肩を叩かれた。

「そういや、おつね、見つかったから」

「見つかったって。何か、あったの」

「あれ、こないだ、お前ぇに行方を知らねぇかって訊かなかったか。そうだ、ちょうど丹後屋が依頼に来た日だ」

そういえば、先月の末、休みの日に「顔を出してくれ」と遣いが来て、それでお咲は鳩屋に顔を出したのだ。お徳が「大仕事の前だから」と話をすっ込め、そのままになっていた。

「あいつ、夜逃げしてよお。長屋はもぬけの殻で、一騒動だった」

「無事なの。おつねちゃん」

「元気だ。またうちで働きたいってよ。お徳はかんかんだったが、俺が中に入ったのさ。まあ、立ち話も何だから、また今度。気ぃつけて帰りな」

そのやりとりを思い出しながら歩く。おつねの亭主がまたしくじったのだろう。らくだの糞、駄目だったんだ。でもまた鳩屋で働けるんなら、それで安心だ。働けさえすれば、何とかなる。そう思いつつ、胸の裡はまだ重苦しい。

――ああ、青臭い。

――それが縁ってものだ。

お徳とおぶんの言葉が行き交うたび、お咲は「わかってるってば」と口の中で繰り返した。

わかっているけど、気持ちがついてこないのだ。白翁の今日の調子はどうか、大野は難儀をしていないか、そのことをまた考えてしまう。

それでもあたしは今から長屋に帰って、おっ母さんが食べ散らかした皿を洗い、掃除をして一眠りしたら、「仕方がない」と思うのだろうか。いつものように。

歩きながら懐に手を当てた。立ち止まる。いつもの手触りがないのだ。慌てて懐に掌を入れて、血の気が引いた。

銀の猫が入った守り袋がなくなっている。


白翁の屋敷の前に立っていた。

鳩屋まで引っ返して捜し、日本橋通りから向島までの道もずっと前屈みになって歩き通してきた。道沿いの店にそのつど訊ねて頭を振られ、そのうち声が嗄れてきた。

あんな小さな物、道で落としたが最後、二度と見つかるわけがない。まして袋の中身は銀細工の根付だ。お咲にはその値打ちのほどはわからないが、拾った者が正直に番屋に届けてくれるとはとても思えない。番屋に訊いてはみたが落し物は預かっていないと言い、「あんた、大丈夫かい」と心配された。

「ひでぇ顔色だ」

白翁の隠宅の門を見上げて、ここで見つからなければもう介抱人を続けられないような気がした。

介抱人なんぞ辛いことばかりだ。いつも寝が足りず、肩凝りと腰痛がひどい。しかも人間は歳を取ったら人柄が練れると思ったらとんでもない、裕福な家の隠居でも猜疑心が強く、不平不満や誰かの悪口しか口にしない年寄りも多い。

それらに耐え抜いても、介抱人はあくまでも他人だ。最後は身内の手厚い看護に勝るものはない。やはり虚しいのだった。

舅、仁左衛門を介抱しきれなかった、その無念をやっと、今につなげられるようになったのに。あの銀の猫だけが心の拠り所だったのに、すっぽりと躰の芯が抜けたような気がする。

ようやく中に通されて、用人の大野が出てきた。

「如何した」

よほどひどい顔と形をしているのだろう、いつも怜悧な表情を崩さない大野が両の眉を上げている。

事情を話すと、三日の間、自室に使っていた部屋に入ってもいいと許しを出してくれた。畳の上を浚うように手を動かしたが、見つからない。

この屋敷を出る前、どこをどう通ったか懸命に思い出そうとするが、頭の中に真綿を詰めたようだ。眉間が重く、眩暈までする。ふらりと部屋の外に出ると、大野と鉢合わせしそうになった。

「御前がお呼びだ」

大野の背後について廊下を進み、白翁の座敷に通された。白翁もお咲の姿を見るなり、

「これは、これは一大事ぞ」と言った。そして手招きをする。

「咲、失せ物とやらはこれか」

白翁の掌の上にあるのは、見覚えのある守り袋だ。

「大野が今しがた、見つけたのじゃ。隣の部屋の隅に落ちておったそうな」

震える手でそれを受け取った。礼を述べているつもりなのに、声が嗄れたり湿ったりして、己でもわけがわからない。

「中をたしかめよ」

まだ手が震えている。掌の上にようやく、小さな銀の猫が坐った。

白翁が「ほう」と感心したような声を洩らした。見せてくれと言うので、差し出す。

「これは滅多とない名品ぞ。銀の質も職人の腕も大したものじゃ。わしは昔、これほどの根付に一度だけ出会うたことがある。大奥での」

絶句した。噂は本当だったのかと白翁を見返すと、大野と顔を見合わせて笑い出す。

「やはり巷にまでかような噂が流れておったのか。それにしても咲まで耳にしておるとは、わしの噂も大したものよ。のう、大野。二度離縁して実子も儲けておらぬゆえ、世間ではいろいろ申そう」

他人事のように面白がっている。

そして白翁は銀の猫をお咲に返し、急に笑みを引っ込めた。

「恐らく、生まれつきなのだ。鎧兜よりも雛人形を好んでは、父上に折檻された。この生まれ損ないめと、父上は泣いていた。わしは心底、おなごに生まれ変わりたいと願ったものよ。おなごに憧れてやまなかった。が、長じてからはそれを乗り越えたのだ。誰

より も学問に励み、名僧の教えを請い、真冬に冷水を浴びて躰を鍛えた。文人に交わり、和歌に書画、俳諧も身につけた。甲斐あって、家格に見合わぬ出世を遂げた。面白いほど、他人が我が意を汲むようになったのだ」

口調は緩やかではあるが、至って明晰だ。

「そして権勢を極めれば極めるほど、わしはおなごを目にするのも嫌になっていた。これだけはいかに欲しても、いかほど金品を積んでも手に入らぬゆえだ。おなごとして生きることだけは、かなわぬ」

何とも悲しげな目をする。

「ところが、老碌が訪れた途端、それが出るらしい。何たることぞ」

ややあって、何かが腑に落ちた。そうだ、介抱先の家でたまにそんなことがある。女隠居が寝たきりになってまもない場合、倅の嫁が下の世話をするのは受け容れても、倅は断じて厭だと言い張る者がいる。倅は異性だからだ。

白翁の場合、ちょうどそれではないか。大野や使用人らにはどうあっても躰をさらけ出せず、おなごのお咲は受け容れることができた。

なおも白翁は呟く。

「こうして死に向こうておる時、思い知らされるとはの。これまで手に入れた物の何一つ、役に立たぬと」

お咲は「さようでしょうか」と、口にしていた。

「死ぬ時は皆、独りです。たった独りでその恐ろしさに耐えるんです。それだけはいかに孝行な子がいても、誰も代わってあげられない。だからそばについて手を握り、言葉を交わします。精一杯、笑って、大丈夫だよと声をかける。内心では親を見送るのが怖い。この世からいなくなると思うと、介抱している方も怖いんです。いかほど覚悟したって、たいていの人はそうです。死にたくないし、死なせたくありません」

白翁と大野を順に見て、そしてまた白翁に目を戻した。

「でも、いつか必ずその時は訪れる。であれば、御前はどうしたいのかを選べるお立場にあるではないですか。私のような介抱人を商人が送り込んでくれる。そんな結構なお立場はやはり、これまで手に入れられたお力のお蔭ではないのですか」

白翁は顔色を失っていた。大野が片膝を立て、お咲の腕を摑んだ。

「御前に向かって、何たる口をきく」

けれど引き下がるつもりになれない。私には確信があるのだと、どこかで思った。辛い仕事をしてきて、今、こんな考えを持つに至っている。口に出したことも初めてなら、己がこんなふうに感じていたことにも驚いているけれど、心底から出た言葉だ。

白翁は相好を崩し、苦笑いを浮かべた。

「ゆえにわしはおなごが嫌いだと言うのだ。身の程を弁（わきま）えず、真実（まこと）をいきなり突きつけてくる」

裏門を出ると、「咲」と呼ばれた。

立ち止まって振り返ると、大野だった。やはりちょっと見かけないほどの美形だ。ふと、この人は御前の想い人なのだろうか、衆道のお相手なのだろうかなどと思い、すぐに胸の裡で打ち消した。

そうであろうがなかろうが、二人が主従を越えた間柄であることはたしかだ。それだけで充分だ。

大野は白翁の座敷を出てから、お咲にこう告げた。

「これから時折で良いので、来てもらえようか。正式に依頼する」

「大野様はご自身でなさるおつもりはおありですか」

すると大野は「ん」と、首肯した。

「最期の看取りは某にさせていただきたいと、御前にお願い申すつもりだ。咲のやりようを見て、これから学ぶ」

「では、お教えいたしましょう」

「偉そうに申すな」

大野は眉根を寄せ、顔をそむけた。黙って廊下を進み、別れ際も素っ気ないものだった。

ところが追ってきた大野はお咲に向かって、何かを差し出した。

「持って帰れ」

春蘭の花束だ。葉っぱに紛れるような色だが花の姿は可憐で、そして艶っぽい。

「摘んでくださったのですか」

するとと大野は「馬鹿な」と、にべもない。

「御前に決まっておろう」

そう言い捨てて、門の中に姿を消した。

お咲は花束を手にして、大股で歩いた。ほどなく、桜霞がたなびくような隅田堤に出た。

急に眠くなって、あくびが止まらなくなった。

半化粧（はんげしょう）

一

木々が緑葉をつけ揃えると、江戸の風景はいくつも若返ったように瑞々しくなる。が、やがて梅の実が肥り始めたらお咲は少し厄介になる。雨の日が増えるからで、介抱先の隠居部屋は昼間でも薄暗く、寝たきりの年寄りは湿気(しけ)った蒲団の上で肌寒さを訴えるのだ。

お咲自身、着替えを入れた風呂敷包みを抱えながら蛇の目を差すのは前が鬱陶しく、足許も悪い。歩き方が下手なのか、たいていは裾に跳(は)ねを上げてしまう。

けれどこんな雨景色もあるのだと、開け放した葭戸(よしど)の向こうに目をやった。二階の座敷であるので手前の松や青楓が枝を伸ばすのを見下ろせ、遠くの家々や田畑、そして空のかなたには雪白をいただく富士の山までが見渡せる。

降り続ける雨はしっとりと光って、屋根や軒に落ちる音も慕わしい。

ここは浅草山谷(さんや)にある料理屋で、お徳によれば「構えから察するに、八百善(やおぜん)よりは気安い店」であるらしい。それでも鰹や鮪、甘海老が盛られた刺身皿は幅が一尺ほどもある大皿で、焼物は楓の葉を添えて若鮎と伊佐木が横長の皿に、蒲鉾と笹巻寿司も彩りよく丸鉢に盛りつけられている。

一人ずつに膳が据えられるのではなく、大皿から取り分けて食べる方式も初めてだ。どれを味わってもふだん食べているお菜とは段違いで、いいお相伴に与っちゃったと、思わず頰が緩む。

鳩屋の五郎蔵、お徳夫婦をここに招いたのは、日本橋は通油町で杵屋という貸本屋を営む佐分郎太だ。年恰好は二十五、六に見えるので、お咲とはほぼ同じくらいだろうか。杵屋には鳩屋の口利きで何人かの女中が奉公しており、つきあいは先代からであるらしい。

遣いの手代が訪れたのは五日前のことで、文を読み終えたお徳はそれを五郎蔵に回しながら、少し不思議そうな面持ちになった。

「うちがお得意さんをもてなすんならともかく、向こうが料理屋に招いてくれるとは妙な按配だね」

「いいじゃねぇか、料理屋になんぞ滅多と繰り出せねえぞ。行こう、行こう」

「そりゃまあ、お断りする理由もないし、断っても角が立つから伺うけどさ。ただ、介抱人を一人、つれてきてくれって書いてあるだろ」

「そんなの、書いてあったか」

五郎蔵は肘を伸ばし、手にしていた文をわざわざ遠ざけて見直している。五郎蔵にも年波が寄ったのか、近間の文字が見にくくなっているようだ。

「お前さんは他人の言うことを話半分にしか聞かないが、文もとんだ走り読みだねえ。ごらんよ、ここ。左端に追而書が添えてあるじゃないか」

二人のやりとりを聞いていたのは、お咲と朋輩のおつねだ。介抱仕事を終えて板ノ間に坐り、奉公帳に仕事の内訳を書きつけていた。

「おつねちゃん、釘屋のご隠居の様子、どう」

「どうって、相変わらずだよ。何十年も前に死んじまったお姑にこんなこと言われた、ああも邪険にされたって、昨日のことみたいに床の中で愚痴三昧。あの婆さんは毎日、同じ話」

おつねは山師のような亭主とようやく切れて奉公に精を出すと誓ったが、無精で気がきかないのは相変わらずだ。汚物をくるんだ襁褓を床の間に置き放しにして呑気に茶を呑んでいたりするので身内を怒らせ、「介抱人を代えてくれ」と言われることも珍しくない。その尻拭いはたいてい、お咲に回ってくるのだが、おつねは悪びれる風もない。

「じゃあ、釘屋のご隠居さん、気はしっかりしてなさるんだ」

昔のことを引っ張り出して愚痴ったり自慢したりしている間は、まだ生気が残っている。

「あたし、もう聞き飽きちゃって。そしたら、お前は蝸牛みたいな女だねって厭な顔をするんだよ。お姑さんのことあれこれ言うけど、あの婆さんも大概さ。ああ、介抱人みたいな仕事、早く辞めちまいたいよ。うちの人さえ一山当てて帰ってきてくれたら」

「おつねちゃん、待ってるの。ご亭主のこと」

妙な儲け話に手を出してはその損を埋めるために借金をして、それを返すためにおつねは働きづめだったのだ。長屋の店賃から米代まですべてをおつねが賄って、挙句の果てに亭主がまた下手を打って夜逃げをせねばならなくなった。しかも身を潜めていた品川宿で亭主だけが逃げ出して、おつねは置き去りにされたのだ。そしてすごすごと鳩屋に戻って来た。

お徳は初めつれなく、追い返そうとしたらしかった。おつねは鳩屋に前借りをしていて、それを放ったまま行方をくらましたのだ。筋を通さないやりようを肚に据えかねたのだろうが、そのじつは随分と心配し、心当たりにも人を遣って探させていた。

「借金踏み倒したまま逃げといて、よくもあたしらの前に顔を見せられたもんだ。その図太さにゃあ恐れ入るね。ちょいと、えへらえへらと笑ってんじゃないよ。皮肉も通じないのかえ」

結句は、五郎蔵の取り成しで再度、働けることになった。

「こいつぁ、他に行くとこがねえ」

五郎蔵はお徳にそう言ったそうだ。鳩屋で介抱人をしている女たちは皆、何がしか同様の事情を抱えていて、お咲にも母、佐和が作った借金がある。

にもかかわらず、おつねはまだ介抱人稼業に身を入れず、亭主の迎えを待っている。

お咲もさすがに呆れ返った。

「あたしが口出しすることじゃないけど、いい具合に向こうが行方知れずになってくれたんだよ。綺麗さっぱり忘れる気になった方が、よかないの」

せっかく五郎蔵がお徳を説き伏せてくれたのだ。再び何かをしでかしたら、もう勘弁してもらえない。だがおつねは頰を膨らませて、上目遣いになった。

「だってうちの人、あたしでないと駄目だもの。そのうちきっと帰ってくる」

蝸牛が這った跡のように、粘い言いようをした。

そしてお徳と五郎蔵が「お咲、杵屋さんの招きに同伴しとくれ」と命じると、おつねはむうと目の下を赤くした。

「何さ、いつもお咲ちゃんばっかり」

「おつね、あたしらは気散じに招かれたわけじゃないんだよ。介抱人と一緒に料理屋に来てくれだなんて、杵屋さんにはよほど込み入った訳があるに違いない。たぶん厄介な年寄りの相談だろう。お咲、仕事を引き受けるかどうかはあたしらが判じるけど、覚悟はしといとくれよ」

おつねはお徳に頭ごなしにやられると一遍にしゅんとして、もう口ごたえはしなかった。

けれどお咲は少々面倒な気になって、今朝、ここに向かう間も気が重いほどだったのだ。雨で袖が濡れ、跳ねを上げてしまったふくらはぎは点々と冷たい。階段を上がりしな、お徳は背後のお咲を振り向いて、なぜかにやりと笑った。

「いい家だね」

「そうだね」

「あれ、何だねえ、せっかくつれてきてやったのに浮かぬ顔つきをして。もうちっと嬉しそうにおしよ。精がない」

「けど、遊びじゃないでしょ。難しい話を控えてるんだから、いやでも神妙な気分になっちまう」

「お前も存外と、肝玉が小さい。おつねの手前、ちと大仰に言っただけさ。杵屋さんはね、日頃、鳩屋さんの稼業には一目も二目も置いてきた、これからは同じ商人同士として懇意におつきあいを願いたいと、嬉しいお誘いをかけてくださったのさ。あたしらみたいな地味な稼業も、目のある人はちゃんと見てくれてるんだよ。それにこんな家、自前じゃ来られないんだから、精々、楽しまなきゃ。さ、上がった、上がった」

お徳は小気味よい音を立てて階段を上がった。

五郎蔵とお徳はずっと上機嫌で、盛んに舌鼓を打ち通しだ。とくに鮪が大の好物である五郎蔵は、「いや、結構な江戸前でやすなあ」と酒杯を重ねる。

お徳は「もう」と五郎蔵をたしなめた。

「お前さん、鮪ばっか食べて」

けれど笑っている。そしてお咲も、滅多と拝めぬ戸外の景色に胸の裡が広がる思いがして、やがて箸を下ろす間もなく馳走を味わっている。お徳は女中が新たに運んできた鉢を見やって「おや」と、目尻を下げた。

「青梅の甘露煮ですかえ。乙なこと」

「ここは新川の酒問屋の主が、半ば道楽でやっていなさる店でしてね。儲けは二の次で、今、自分が食べたい物を板前に拵えさせますから、走り物でもとびきりのが出てくるんですよ」

「なるほど酒が旨いはずだ。こいつぁ極上の下り酒でやすね。地回りとは、味も咽喉越しも違う」

江戸者は、酒だけは上方に頭が上がらない。地元で作られたものは「地回り」と呼んで、安酒の見本のように下に置くのだ。

「お招きをしておいて明かすのも無粋ですが、これほどの料理とは思えぬお代でしてね。だもんで、半年先まで約束が入って一杯ですよ。まあ、昼夜に一組ずつしか約束を取らない家ですから、あたしなんぞ客をするつもりがなくても予め座敷を押さえてあります。次に来るのは冬になりますがね」

雪の降る景色もさぞ美しいだろうと、お咲はまた外を見る。

五郎蔵は佐分郎太の隣に坐っていて、酌をする。

「杵屋さんはたしか、五代目でやしたね。跡目を継がれたのはおいくつの時で」

「二十七で親父から大福帳と蔵の鍵を預かりましたから、丸三年が経ちましょうか」

「三十路でやすか。それはそれは。随分とお若く見えなさる」

「根が呑気なものでね」

と、五郎蔵が「痛っ」と尻を持ち上げた。お徳がつねったらしい。

「相済みませんねえ。うちの亭主は口のききようを知らないもので。ご免なすって」

「いいんですよ。近頃は男も若作りをする時代です。昔は若く見られたらば貫禄が足りぬと見下げられたも同然だったでしょうが、うちの親父なんぞ一歳でも若う言われたら舞い上がっちまって、近頃じゃ湯屋に糠袋を持ってくんですよ。顔なんぞあたしより艶々してます」

「ご隠居さんは、お二方ともお達者で」

お徳がさりげなく訊ねた。

「お蔭さまで。親父は足も頭も達者ですが、おっ母さんが春にひどい風邪をひきましてね、それからは寝たり起きたりの毎日です」

ほら、おいでなすった、また介抱先が増えるとお咲は身構えた。鳩屋には結構なことであるけれど、新しい得意先が増えればその分、お咲の休みが減る。

「それはご心配ですねえ」

「奥には鳩屋さんに世話をしてもらった女中もおりますから、さほど手はかかりませ
ん」
「杵屋さんにはおまきと、おなつもお世話になっておりますですね。しっかりご奉公し
ておりますか」
お咲ら介抱人は通い女中だが、鳩屋は住み込みの女中を斡旋する口入稼業が本業だ。
「それはもう。陰日向なく働いてくれますので、うちの女房もおっ母さんも喜んでおり
ますよ」
お徳は満足げに箸を持ち直し、甘露煮を口に運んでいる。
「それに、女房が私と一緒になって、何くれとなく手を尽くしてくれるんです。おっ母
さんなんぞ、ほんにいい嫁をもろうたと涙ぐむこともありますよ。子供が四人、まだ幼
いものですからそちらにも手がかかるんですが、寝る間も惜しんで介抱を手伝ってくれ
ています」
「そいつぁ珍しい」と、五郎蔵は感心する。
「世間じゃ、親の介抱は一家の主がするものと相場が決まっておりやすがね。そのじつ、
女手が助かることも多いじゃありやせんか。ところがたいていの女房は見て見ぬ振りを
決め込んで、芝居を観に行く暇はあっても舅姑の足をさすってやるほど暇じゃないって
ね。近頃はそういう御新造(ごしんぞ)が多いんですよ。まあ、うちはそれで介抱人を雇っていただ
いてるわけですがね」

「私の女房は侍の娘でしてね。親父の古い知人から来た縁でしたが、ここだけの話、おっ母さんは初めは不服だったんですよ。武家の堅っ苦しい風儀を持ち込まれたんじゃあたまらない、昼寝もできなくなるって。ところが、うちに嫁入りするくらいだから大家の姫君でなし、むしろ傘の紙張りに精を出してきたような御家人の娘ですから骨惜しみをせずに立ち働きますし、それでいてちゃんと学問は備えてるんですよ。うちで扱ってる品物には古参の番頭でも読みあぐねるような難しい本もあるんですがね、女房はすらすらと読んで誤字脱字まで見つけちまう。板元は板を重ねた折にそこを修正できますから、番頭も板元にさぞいい顔ができるんでしょう、今じゃ、すっかり女房贔屓です」

貸本屋は黄表紙や読本を期間を決めて貸し出し、見料を取る商いだ。

「そいつぁ、偉い御新造をお迎えになりやしたね」

佐分郎太は照れもせずにうなずいた。

「お蔭で、介抱する年寄りを抱えている身にしては、こうして気懸かりなく家を空けられるというわけです」

「うらやましい」

「はい、幼馴染みや商い仲間にも冷やかされ通しです」

お徳が肩を寄せてきて、小声で囁く。

「あたしら、のろけを聞かされに来たのかね」

「そうみたい」

が、佐分郎太には露ほども厭な感じを持たない。むしろ、女房のことをこんなふうに他人に言えるなんて、この人もいいご亭主に違いないと思った。

お咲の前の亭主、仙太郎は、客や奉公人の前でも平気でお咲を貶し、「うちのは、生まれ育ちがなっちゃいないから」とまで言った。女房の粗を見つけては得意になる男だった。

「近頃、あたしと歳の近い者同士が寄ると触ると、介抱の話になりますからね。皆、あたしの女房をうらやましいと言いながら、うちはこれからどうなることかと溜息を吐いてますよ。親はたいてい、六十半ばか七十を超してますから、今、看取りの最中の男もおりましてね。佐分郎太、これからが本番だ、両親とも寝ついてみろ、毎日、おちおち横にもなっていられねぇぞなんて脅すんですよ。昔からの気安い仲ですからそんな口をきくんですがね。実際、その男は仲間の集まりにも滅多と出てこなくなってまして、久しぶりに顔を見せたと思ったら窶れてるの、何の。大の酒好きなのに、介抱があるからと一滴も呑まずに早々に引き上げたりするんで、後で皆、顔を見合わせて、憐れな奴だ、いや、そのうち俺たちもああなるんだなって、酔いが醒めちまいましてね」

佐分郎太の声がよく通ると思ったら、雨が上がっていた。

「ですから私ども鳩屋が懸命にお手伝いしてるんですよ、杵屋さん。介抱人より先にお身内が倒れちまうなんてことも、世間にはざらにございますからね。あまり無理をなさらず、玄人の手をうまくお遣いになって」

お徳が膝を前に進めた。「商売、商売」とでも言うように、横に張った小鼻をなお膨らませている。

「そう。鳩屋さんはほんに世の為、人の為になっておられる。商いは稼ぐことだけを目当てにしちゃあいけないと、うちの曾々祖父さんも口癖のように言ってたそうです」

杵屋が真面目に目許を引き締めたので、お徳は二の句を継げないでいる。

介抱料をいくらせしめるかの駆け引きこそお徳の本領で、大店の番頭を相手にしても一歩も引かない気強さを持っている。ところが「世の為、人の為」などとやられると、こすからい口を封じられたも同然だ。

「ええ、ええ、おっしゃる通りでございますとも。手前どもは世の為人の為、決して潰れちゃならない商いをしてるんです。ねえ、お咲」

お鉢を回されて、「そうですね」とまごつく。

「鳩屋さんは何人、介抱人を抱えていなさるんですか」

佐分郎太はお咲を見て訊いた。

「私を含めて七人でございます」

「七人ですか。なかなか手が回らないでしょう、その人数じゃあ」

一時は十人ほどに増えていたのだが、躰を悪くして里に帰った者がいたり、新入りが入ったと思えば早々にやめて水茶屋勤めに戻ったりする。

お徳が話に割って入った。

「介抱、看取りの奉公は奥が深うござんす。身の回りをお世話するだけならただの女中でもできますが、時には命の瀬戸際を見守ることもありますからね。いろいろと仕込むのに手数がかかるんですよ。安くはない介抱料を頂戴するんですから、それだけのお値打ちを感じていただきませんと、すぐに噂になりますから。お蔭さまでこのお咲は引く手数多で、どちら様にも喜んでいただいております」

「値打ち」を云々したが、話は少し水増しされている。

鳩屋が介抱のしかたを事前に仕込むことはなく、「まずは躰で覚えろ」と、症の軽い介抱先に送り出される。そして介抱先から文句が出てからお徳はお咲を呼び、「茅場町のご隠居、ちと機嫌を損ねてるようだから、お前がしばらく通っとくれ」と命じるのだ。お咲はそこで介抱を立て直してから別の者に行かせるが、また元の木阿弥になって文句が出ることもある。その挙句、お咲が掛け持ちを増やす破目になる。

「なるほど、お咲さんはいい介抱人さんのようだ。ただ、いかに腕ききでも江戸じゅうの年寄りの世話まで手は回りかねるでしょう。だいいち、介抱料を払える家など限られている」

そう、それがお咲の、そして鳩屋が越えられない垣根である。

五郎蔵とお徳がどう思っているかはわからないが、少なくともお咲はそれを思い知っていた。銭があれば本来ならば身内で充分な介抱でも他人に委ねられるが、その算段がつかぬ者はたとえ稼ぎを半分にしてでも親の枕許に坐らねばならない。親の薬代のために質屋に通い、己の食べる物を切り詰める。

「何にでも限りはござんすからね」

「そう、そこなんですよ、鳩屋さん」

佐分郎太は身を乗り出して、座を見回した。膝の脇に置いた包みを膝前に置き直し、風呂敷を解いている。男にしては色が白い方で、しかも酒に強くないのか、額から月代までがもう赤く染まっている。

「これはご存じですね」

佐分郎太に渡されて、五郎蔵は首をひねる。書物のようだ。五郎蔵はとっととお徳に回し、お徳も表紙をめくったなり、お咲に渡してきた。かた苦しい真名の標題がつけられた表紙をめくれば、また難しそうな文字がびっしりと連ねられている。絵なんぞ一つも入っていない。

「いや、お恥ずかしいこって。湯屋の二階にも貸本はたくさん揃えてありやすが、あたしはもっぱらこっちの方でして」

五郎蔵は将棋を指す手つきをした。すると佐分郎太は少し当てがはずれたように、眉を下げた。

「『養生訓』、ご存じありませんか」

「ようじょうくん。ああ、もちろん知ってますとも。これがその本でござんすか。あたしら、耳学問しか修めてませんのでね、へぇ、さようですか」

お咲もその本の名と、少しばかりの中身くらいは聞き及んだことがある。長寿を全うするための養生法を説いた本で、舅である仁左衛門が口にしていた。

「たしか、医は仁術なりと唱えられた方ですよね。貝の名がついた」

書き手の名を思い出そうとしたが、さっぱり出てこない。

「その通り、貝原益軒先生です。養生訓が出板されたのは正徳三年ですから、かれこれ百二十年以上も読み継がれてきた名著ですよ」

「そんなに古いものなんですか」

「そうです。私の女房は里の親からこの本を譲られて嫁いできました。ご承知と思いますが養生訓は武家に限らず、町人の間でも親から子へと口伝えに教えられてきた内容でしてね。ことに、これは最終巻の巻八ですが、養老について説いてあります。介抱する者の心得はもちろん、年寄り自身が持つべき心構えにまで筆が尽くされてありまして、いわば介抱の指南書ですな」

「養生訓にそんな巻があったんですか」

お徳も驚きを隠さず、もう一度膝の上に本を置いて中を開いている。が、読めぬ物がいきなり読めるようになるわけもなく、すぐに閉じた。

佐分郎太は「鳩屋さんには、釈迦に説法かもしれませんが」と前置きしつつ、「養老のための指南は大きく三つありまして」と益軒の説く介抱法を披露した。

「まずは老親のためにいかに家の中を整えるか、それから年を取ると歯や胃の腑の働きも弱ってきますので朝夕の膳の拵え方、そして年寄りの心をいかに安んじさせるか。貝原先生は三つの中でも、とくに心への配慮を最も肝要とされていましてね」

　佐分郎太の口調は、至って穏やかだ。

「いわく、人は老齢になれば欲が増えて怒りや恨みも増しやすいものゆえ、子はこれを充分にわきまえ、まずは父母の怒りを招かぬように心を慰め、楽しませることが大切と説いているわけです。女房が申しますには、この養生訓が説いているのは孝でありまして、その後の儒者の著述にも大きな影響を与えたようですな。武家はことに忠孝を重んじますから、親の老いの看取りは人の道として受け継がれてきたようです」

お徳がそれは承知しているとばかりに、「さようでございんすね」と合いの手を入れた。

佐分郎太がうなずき返し、先を続ける。

「うちの番頭も、そういえば父母が年老いた際の心構えを指南する本は他にもあると申しまして、私も目を通してみました。たとえば、親が達者であっても起臥を介助する、心の安寧に努める、外出の際は用件を伝え、帰宅後はすぐに顔を見せる、無用に遠国に出掛けることを控え、近隣でも数日の滞在はせず、近所であっても行き先を告げよと、まあ、事細かい。親が病に臥したならば必ず子が介抱を行ない、薬も自ら煎じ、医者は親の生死を預ける相手であるからその吟味も抜かるなと説いてあります」

　そこで佐分郎太は酒を一口含み、また口を開いた。

「そういえば、私が通った手習塾でも、師匠にこう教えられたものです。老いた親のそばを離れずにつき添い、介助の手を差し伸べること、とくに親が病を得た際は他の仕事をさし措いてでも昼夜寝ずの看病をし、医薬の手を尽くすこと」

「手習塾でさようなことを教えるのですか」

お咲は思わず訊ねた。手習塾には通ったものの、男の子と女の子とでは師匠が異なるうえ、習う内容も異なる。女の子は簡単な読み書きとお針くらいで、しかも何年、塾に通うかはそれぞれの親の考え次第だ。

「御公儀のご意向で、室鳩巣という先生が著された書の写しが江戸市中の手習師匠に頒布された時期があったようですね。しかも五人組帳の前書きにも取り入れられたんで、まあ、それから長い時をかけていつしか、裏長屋住まいの者にまで看取りの心構えが広がる素地になったのでしょう。それで私も調べてみたんですが、親の介抱について説く書の多いこと。百姓向けの本にも看取りの心構えが書かれていましてね。親の躰に直に触れることがまず大切であって、最も厭いがちな大小便の世話は他人に委ねず、子自らが行なうようにと諭してあるんです。ただし、老親が排泄の世話を気づかいに思う場合は本人の気に入った使用人に任せてもよい、と」

お咲の横で、お徳がかさりと音を立てた。『養生訓』を膝脇に置き、何やら興醒めな顔つきだ。

「何だか、息が詰まっちまいますねえ。孝行心や人の道だけでやれるほど介抱は甘くありませんよ。仮にその通りにやれたとして、じゃあ、いったい子の人生はどうなるんです」

お咲もそう思う。佐分郎太が披露した通りにやれば、なるほど親は安寧かもしれないが、己の人生のほとんどを介抱で使い果たしてしまう子も出てくる。

「ですから、子のためにも日々、己の躰を養生するが大事。これが、養生訓の主意なんですがね。思うようにならぬのが世の常、人の常」

佐分郎太はそこで腕組みをして、溜息を吐いた。

「まして、鳩屋さんのような介抱人を雇えるのは、今日明日の暮らしに困らぬ者だけです。おまけに七人しか介抱人がいないんじゃ、間に合わない」

「杵屋さん、わかりきったことを何度も教えてくだすって、どうもご親切に」

お徳が木で鼻を括ったような返し方をした。五郎蔵が慌てて「おい」と止め、佐分郎太は「いや」と胸の前で手を振った。

「そんなつもりで申したわけじゃないんです。ああ、違うんです。しまった、どうしようか」

己の額をぴしゃりと叩いた。顔を戻し、お徳に向けて身を乗り出す。

「私も、お徳さんが言いなすったのと同じ考えを持ったんですよ。百何十年も孝行の一点張りでやってきたけど、こいつぁ親子の実状に合っていないんじゃないかって。うちの女房みたいな出来物は滅多といやしませんし、いずれ私も女房も歳をとります。その時、今と同じように親の介抱ができるかどうかと想像したら、何だかね、仲間が先行きを考えるとぞっとすると肩をすくめる気持ちもわかるような気がしたんですよ。ですから私は貸本屋として、新しい介抱指南を作りたいと考えついた次第でして」

「介抱指南……」

「そうです。今様の養生訓を出して、私は世の中の支えになりたい」

「支え、ねえ」

　お徳は胡散臭げな目をして佐分郎太を見返している。どうやらすっかり機嫌を損ねたらしく、こうなれば相手が得意先であろうがお徳は平気で尻を捲りかねない。

「貸本屋は読み手に近い立場ですからね。今、世間が何を求めているかに敏いんです」

「杵屋さんが世の中をお支えになろうが餅をお搗きになろうが、あたしは一向に構いませんよ。どうぞお好きに。お咲、そろそろ失礼するよ」

　膝を立てかけたところを、五郎蔵が「まあ、待て」と腕を出して前をふさいだ。

「終いまで杵屋さんの話を聞いてからでも、遅くはねぇだろう。今どき、こんな真っ当なことを照れもせずに口にできる人なんぞ滅多といやしねえぞ」

　褒めているのか落としているのか、よくわからない言いようだ。

「お前さんはすぐにそうやって、いい人ぶる」

「お前ぇはすぐに強がる」

　佐分郎太は二人をきょろきょろと見て、赤くなったり蒼くなったりと忙しない。そこでお咲は「あの」と切り出した。

「そう、それです。その介抱指南を作るためのご指南を仰ぎたいと、かように存じまして」

「杵屋さんは、手前どもに何をお望みなんでしょう」

「指南の、指南ですか」

するとまた、お徳が腹立ちまぎれな声を出した。

「あたしらが難しい文言なんぞ書けやしないことくらい、百里離れてたって見えそうなもんですがね。杵屋さん、身近にいい方がおられるじゃありませんか。御新造にお頼みになればいい」

「ええ、それはもうとっくに。そりゃあ立派な文章でしてね。中身も立派過ぎて、肩が凝る」

「じゃ、按摩をお呼びになった方がよござんすよ。鳩屋はお役に立ちません」

佐分郎太は商人にしてはどうやら正直が過ぎるご仁であるらしい。周りが暑苦しくなるほどの熱意を持ち、その熱でつい余計な本音を飛び出させる。それがお徳の気を損ねるようで、もはや佐分郎太を小馬鹿にしたような目つきだ。

「ですから、是非とも鳩屋さんのお力添えを頂戴したいんです。書き手はいくらでも、喰えない玄人が山とおりますから、その者らに書かせます。が、大事なのはそこに何が書いてあるかなんです。養生訓の焼き直しのごとき物じゃあ駄目なんだ。それじゃあ、今の世の支えになれない」

そして何を思ったか、佐分郎太は羽織の裾を払い、手をついた。

「鳩屋さん、この通りです。助力を願えませんか。むろん、それなりの御礼はいたします」

「それなりとは、いかに」

夫婦が声を揃えて鸚鵡返しにした。

料理屋を出て歩いていると、また雨になった。立ち止まって傘の柄に手を掛ける。前を行くお徳が急に通り道の軒先に入り、お咲の袖を引いた。

「どうしたの、いきなり引っ張って」

「あすこ、あの店先にいるのって」

見れば、水茶屋の床几から腰を上げている女がいた。こんな天気だというのに白麻地の着物を身につけているので、大層、目立つ。若草色の葉を何枚も大きく描いたその夏小袖を、お咲は知っている。母の佐和が昔、妾奉公をしていた時分に旦那に作ってもらったという上物だ。

おっ母さん、何でこんなとこに。

傘も持たずに出てきたのか、佐和は袂を持って空を見上げ、掌をかざしている。すると隣に立っていた男がすっと羽織を脱いだ。男の頭は白混じりで、五十くらいに見える。が、一瞬で二人の顔が見えなくなった。男が佐和と、そして自分の頭の上に羽織を被せたからだ。

佐和は男に肩を抱き寄せられて、雨の中を一緒に駆けて行った。

「傘を持ってんのに雨宿りか。だらしねぇな」

前を歩いていた五郎蔵が佐分郎太と共に引き返して来て、目を剝く。

「お前さんこそ、何で傘、差さないのさ」

五郎蔵は番傘を手にしたままで、肩先は濡れて色が変わっている。

「三光の旦那があんまり粋なことをするもんで、つい見惚れちまった」

「三光の旦那って、あの、魚河岸のかえ」

「そうですよ。魚勝の光兵衛さんです。間違いない」と佐分郎太が答えた。お咲は胸が妙に騒いで、二人が坐っていた床几を見つめる。徳利と二つの猪口が置かれたままだ。

「さすがに、日銭千両と謳われる魚河岸でも有名な男伊達だ、雨の中でも仕種が違いますねぇ。何せ魚屋の連中ときたら、皆、せっかちで喧嘩っ早いでしょう。その河岸を仕切るんだから、粋と気風の良さじゃ火消しの親分さんらにも引けを取らない。あのお人はふだんは温厚だそうですが、いざとなれば凄みが違うらしいですね」

「そりゃ、また、えらいお人と」と、お徳は小声になった。

「それにしても三光の旦那は、おなごも違う。凄ぇ別嬪だ」

雨に紛れてか、五郎蔵は佐和に気づいていないらしい。

「年増だけにかえって、ぞくりと来ますね。いや、私なんぞ小心だから、あんな女の前い。

佐分郎太はそう言って笑った。五郎蔵とお徳は何やら言い合いながら、傘を開いている。お咲は柄を握ったまま、二人が消えた雨の向こうを見つめた。

二

井戸端で昼餉の茶碗を洗ってから、桶を持って土間の中に引っ返した。

「おっ母さん、あたし、もう出るから」

声をかけても、佐和は返事もしない。外の方が明るいので、薄暗がりの中で気配だけが揺れている。

いい気なものだと呆れながら、襷を外す。働き通しの娘が竈の前にしゃがんで火吹竹を使っていても朝から湯屋に出掛け、綺麗さっぱりと湯上がりの匂いを立てて箱膳の前に坐っていた。

「糠漬けは嫌いだと言ったじゃないか」

「厭なら食べないで」

「蜆の佃煮は」

「自分で出せば。後ろの、茶簞笥の中」

佐和はじっとお咲を睨んで動かない。結局、こちらが根負けして腰を上げねばならない。

「おっ母さんの方が近いのに、わざわざ人を遣うんだから」

「ここに仕舞ったのはお前だろ。私のせいじゃない」

佐和は朝から娘を苛立たせる才においては、どこの母親にも引けを取らない。家のことも近所づきあいもまともにできず、する気もなく、掃溜め(はきだめ)のような部屋の中でも平然として野良猫を抱いているのだ。

そして着替えようと奥に入ると、鏡台の前で佐和が髪を梳(くしけず)っている。襟を広げた胸の白さに思わず息を呑み、目をそむけた。

問い質(ただ)したいことは山とある。

三光の旦那とかいう男と、どこで知り合ったの。四十二だというのにいったい、どういうつもりなの。また妾奉公(めかけ)でもするつもり。なら、今度こそちゃんとやりおおせてよね。あんな怖そうな人を相手にして、お願いだから悶着を起こさないで。

佐和は両の肘を後ろに回して、髪をじれったい結びにしている。勇み肌の女房、そして妾が好んでする結い方だ。佐和が可愛がっている野良猫が腹を見せて寝ていたが、のっそりと起き上がって鳴いた。

「ぽちの煮干、出しといて」

「そのくらい自分でしてよ。あたしが忙しいの、見てりゃわかるでしょ。ああ、もう、ぽち、どいてよ。裾に毛がついちまう」

手早く着替えながら、猫を追い払う。佐和が「ぽち」と名づけて可愛がっているこの猫は一向にお咲になつかず、可愛げもない。お咲を胡散臭げに見るだけで、佐和の後ばかりをついて回るのだ。

「鳩屋に行ってくる」

「ああ、そう」

介抱人をしていることを、佐和にはまだ話していない。女中奉公を天から馬鹿にしているので、年寄りの世話をしていると知ればまた厭な気にさせられるだけだ。尋常な母親なら、通いの女中奉公だけで母娘の暮らしを立て、借金まで返しているのは平仄が合わぬと気づくはずだが、佐和はそもそも娘に気を向けていない。他に寄辺がないからここにいるだけなのだろう。

苛々しながら下駄をつっかけて外に出ると、路地におぶんが立っていた。

「あれ、今日、おぶんさんも鳩屋に呼ばれてるんじゃ」

七日前、料理屋に招いてくれた杵屋の佐分郎太が鳩屋を訪れることになっている。『介抱指南』を作るために実状を聞かせて欲しいとたっての頼みで、お咲を始めとする介抱人が集められたのだ。といっても介抱先があるので七人すべては揃わない。そこでお徳がおぶんに白羽の矢を立てたようだ。おぶんは介抱を受ける側とする側、その両方を知っている。

「そうだけど、出掛けついでにおきんさんの様子を見にきたのさ」

一時は恢復したかに思えたおきんの老碌は、また進んでいる。

「今日は、どう」

声を潜めて訊ねると、おぶんは小さく頭を振った。

「今朝は倅のこともわからないようだね。口数も減ってる」

庄助の家は戸障子が開け放たれており、お咲は少し身を屈めて中を覗き込んだ。しんとしている。

「庄助さんは大丈夫」

「ん。覚悟はもうとうに、できてるようだから」

一緒に豊島町の鳩屋に向かって坂を下りた。

おぶんは「出掛けついで」などと言ったが、深川からこの菊坂台町までは足の速い者でも一刻ほどかかる。おきんを気にかけて見にきてくれたのだろうと察したが、おぶんは「あんたんち、相変わらずだね」と笑った。

「聞こえてた」

「当たり前じゃないか。あんな壁の薄い裏長屋、何でも筒抜けさ」

「だって、ほんとに頭にくることばっか」

「けど佐和さん、近頃、上機嫌じゃないか」

どきりとした。おぶんは何かにつけて勘が鋭い。

「何で」

「いや、今朝も湯桶を抱えた佐和さんと木戸の外でばったり会ったんだよ。いつもはつんとして目もくれずに通り過ぎるのにさ、今日はお暑うござんすね、だって」

「どうした風の吹き回しだろうね」と、お咲はとぼけた。

「こっちが訊きたいよ」

何でも他人のせいで、都合が悪くなれば平気で嘘をつく佐和は、庄助とおきん親子の許に通ってきているおぶんとも犬猿の仲で、もう幾度となく口喧嘩に至っているのだ。

そしてお咲は佐和との相対し方で、行きつ戻りつを繰り返している。

もうこんな母親なんぞ捨てたつもりと割り切ってみれば、おおらかに振る舞える。ところが佐和は必ずその気持ちを台無しにしてくれる。

ああ、もううんざりだ。外に出たら、おっ母さんのことなんぞ忘れなきゃ。誰と深間にはまろうが、知ったことじゃない。

「ほんに、今日は陽射しが真夏のようだ」

おぶんは眉の上に掌をかざした。

鳩屋夫婦とおぶんは夏火鉢の周りに坐り、お咲とおつね、そしておりきとおふゆが板ノ間に並んだ。筆と帳面を手にした佐分郎太を前に誰もが面持ちを硬くして、なかなか口を開かない。

「いつもは静かにおしと言ったって五月蠅いのに、いざとなれば、まあ、大人しいことだ」

お徳とおぶんが顔を見合わせて、苦笑いしている。

「介抱の何が大事かって訊かれたって、そんなの、わかんないよねえ」

他のこともよくわからないおつねが、お咲に小声で文句を言った。

「じゃあ、毎日、どういうことを介抱先でしなさるか、まずはそれから教えてください」

佐分郎太が左端のおりきを促した。おりきはお咲のように亭主と離縁した女で、里に子を預けて働いている。

「まずは着替えをさせて、襁褓(むつき)を使ってなさるご隠居はそれを替えます。躰と、それから口の中も拭いて、薬を煎じたり、膳が来たらその介助ですかね」

「それだけですか」

「それだけって、それがどれだけ大変なことか。ちょいと目ぇ離したらその隙に縁側まで這って出ちまって、動きたい時は手を添えますから声をかけてくださいよと念を押したって、勝手にいろんなことをしちまうんですよ」

おりきが声を尖らせたので、佐分郎太は亀のように首をすくめた。しかたがないので、お咲が先を促してやる。

「でもその気持ち、わかるって言ってたよね、おりきさん。ほら、前にここでお茶飲んでた時に」

するとおりきは「まあね」と、指先を顎にあてた。

「このまま介抱人に頼り切ったら、自分は寝たきりになっちまうんじゃないかって、怖いんだよ。だから自分でしたがる。けど万一、怪我でもさせたら大事だろう」

「そう、そう」

おりきはお咲を相手に喋り始めた。佐分郎太はそれを聞きながら筆を走らせる。

「頭ごなしに叱るわけにもいかないし、ましてこっちは雇われだから向こうも高を括ってかかるじゃないか。だから朝から晩まで気が抜けない。くたくたになる」

おりきの隣に坐っているおふゆが、一緒になって眉根を寄せた。二十歳過ぎのおふゆは以前、奉公していた家の若旦那と色恋沙汰を起こして、鳩屋に流れ着いてきた口だ。

「ほんとだよ。助平なご隠居はすぐお乳やお尻を触ってくるし、女隠居はあたしの口のきき方がなってないなんて口喧しいし。どうでもいい仕事まであたしに押しつけて、遣わなきゃ損みたいに追い立てるの。そんなことにもう慣れたけど。壁が何かほざいてるって思えば、腹も立たないしさ。けど、あたしがいちばん厭なのは臭いかな。いつでも自分が臭うような気がして、躰を洗っても着物を替えてもあの臭いが取れないのが厭。薬と下の臭いが染みついて、鼻が憶えちまってるんだ」

やがておりきとおふゆはとりとめのない愚痴を語り合い、身の上話まで始める。佐分郎太の問いに正面切って答えるとなると黙り込むのだが、朋輩同士、肩を寄せ合っての愚痴はいくらでも続けられる。

佐分郎太は辛抱強く耳を傾けているものの、だんだん顔色が褪せてくる。こんな話ばかりでは、『介抱指南』の中身にとても行き着きそうにない。

「お咲さんはどうです」

水を向けられて、戸惑った。

「毎日、どういうことをするか、ですか」

「いえ、それは私も察しがつきますんで。そうですね、何に最も気を遣うか、とか」

「介抱先のご当人と、そのお身内ですね。うまく言えないけど、本来はご当人お一人を看るのが介抱ですけど、それだけで済まないというか、厭でもそのお身内とかかわることになります。伺うお宅によって、何がしかの事情は必ずありますから」

そこで詰まってしまい、お咲は奥へと目を動かした。五郎蔵は腕組みをして目を閉じ、お徳は煙管を遣い、おぶんはお咲と目を合わせたが口を開きそうにない。

「何と言ったらいいのかな。ご当人と向き合って介抱しようと思えば、お身内ともかかわらざるを得なくて、でも決して口出しはできないし。ああ、違う、そんなことを言いたいんじゃなくって、ご当人は一人なんだけど、その背後にいるお身内とのかかわりでもあるような気がして」

佐分郎太は「はあ」と気のない返事をして、帳面に書き留めもしない。おつねが横から「お咲ちゃん、頑張れ」なんて妙に励ますものだから、余計にしどろもどろになってきた。

ようやく、お徳が口を添えてくれた。

「まあ、当たり前のことですけど、世の中にはいろんなお年寄りがいる、そしてお身内がいるってことですよ、杵屋さん」

佐分郎太がまた筆を立てる。

「昔は杵屋さんのように、介抱の方針はまず倅が決めて女房はそれを助(す)ける、夫婦や孫が力を合わせて介抱するという家が多かったんですけどね。男でも物事を決められない人がいれば、舅姑の躰に触ることを一切、厭う嫁もいるんですよ。その一方で、身内の和合(わごう)を乱すことが生き甲斐なような年寄りだって、いますからね。年寄りの方が人柄が練(ね)れているとは限りませんから」

お咲はまた考え込んだ。何かが違うような気がしてならないのだ。親子のどちらが気の毒だと、そんな話をしたいわけじゃない。子の介抱を受けるのを当たり前だと思っている年寄りばかりじゃないし、誰も好きこのんで寝つくわけじゃない。

ふと、庄助とおきん親子の姿が胸に浮かんだ。傍(はた)から見ていれば、世間の片隅で慎ましく生きてきたような二人だ。庄助がおきんの介抱で疲れ果てているのは、おきんの人柄のせいじゃない。むろん、庄助自身のせいでもない。

すると、それまで黙っていたおぶんが顔を上げた。

「そりゃあ、欠点のない人間なんていやしませんからね。人柄や気性を言い立てりゃ、そりゃあ何だって出てきますよ。けど、杵屋さんは介抱指南をお作りになりたいんだろう」

るのかと、皆も一斉に首を動かす。

「さようです。孝に縛られない、新しい指南書を」

佐分郎太が身を乗り出しておぶんを見た。おぶんのことだ、どんな妙案を出してくれるのかと、皆も一斉に首を動かす。

「あたしはね、ずっとどうなんだろうと思ってきたことがあるんですよ。親の介抱に尽くした者ほど、自身は誰の世話にもなりたくないと口にする。これが務めだと思って自分はしたけど、うちの子には同じ思いはさせたくないって。これって、どうなんだろう」

投げかけるように、皆を見回した。

「それで」

佐分郎太は筆を走らせながら、おぶんを促すように顎を突き出した。興奮してか、顔が酒を呑んだように赤い。

「それだけですよ」

「答えは」

「それを、介抱指南に書いてくれるんでしょ。楽しみにしてますよ」

おぶんは目を細めながら佐分郎太にうなずいた。

それからおつねは介抱先に向かい、おりきとおふゆは家に帰った。

五郎蔵が急須を持って「急かねぇんなら、一服していきな」と勧めてくれたので、お咲は火鉢の前に坐り直した。おぶんと佐分郎太、そして鳩屋夫婦と一緒に茶を飲む。

「なかなか、一筋縄では行きませんね」

佐分郎太は気落ちしている。

「もしかして、無理な企てだったのかも。一から考え直した方がいいんじゃないですか」

お咲も何だか無性にくたびれた。

「そいつぁ困る」

「お咲、余計なことを言わないどくれ」

五郎蔵とお徳が口々に言い立てた。鳩屋が『介抱指南』に助力することでいかほど儲けるのか、お咲は知らない。料理屋でその話になった時、夫婦は佐分郎太を両脇から抱え込むようにして談合に入ったのだ。それまでけんもほろろだったお徳が、急に乗り気に転じた。

——じゃあ、鳩屋さんの宣伝も入れます。それで何とか。

佐分郎太のそんな言葉だけは小耳に挟んだ。

「杵屋さん、せっかく皆を集めたんですよ。今日のを種に何とか書けないんですか」

「お徳さん、それは無茶だ。何をどう指南できるっていうんです、あれだけの話で」

佐分郎太はまた目の周りを赤くした。と、膝を打つ。

「そうだ。私も介抱先に行かせてもらおう。そしたら何か、取っかかりを摑めるかもしれない」

「杵屋の五代目が介抱人をするんですかい。悪いことは言わない、およしなせえ」

「だいいち、介抱は杵屋さんが自身でやってなさるじゃないですか」と、お徳も畳みかける。

「いいえ。皆さんのお話を聞いてるうちに、私はまだ介抱の真に迫っていないことがよぉくわかりました。てんで、甘い。お頼み申します、私の身元は明かさずに鳩屋さんの介抱人として伺わせてください。あぁ、これは面白くなってきたな。最初っから、こうすりゃ良かったんだ」

一人でやる気満々になっている。五郎蔵とお徳はさも迷惑げに、気のない返事をした。

おぶんを送りがてら、お咲は遠回りをした。

今日は躰休めの日なのだが、帰りに買物をして夕餉を拵えてと考えるだけで気ぶっせいになる。本郷とはまるで逆の方角に進み、大川まで渡ってしまっている。が、おぶんは「早く帰れ」とも言わずに、たぶんお咲につき合ってくれているのだろう。

夕暮れの川風は潮の匂いを含んでいて、西空は青まじりの茜色だ。深川へと下れば、紫陽花(あじさい)が咲く生垣(いけがき)や田植えが済んだ青田が増える。蛙(かえる)が鳴いている。

おぶんは歩きながら、思い出したように言った。

「あの人は育ちがいいんだね」

「あの人って」

「杵屋さんだよ。人の裏を掻かない。読まないし、疑いもしない」

「たしかに。まっすぐ過ぎて心配になるけど」

「ああいう暑っ苦しいのもまだ残ってたんだね。昔は大店の旦那や老舗の若旦那って手合いには、ああいうお人がいくらでもいたさ。目先の利にあくせくしないで動ける人がね。もうそんな世の中じゃないと思ってたけど、なかなか捨てたもんじゃない」

おぶんは掌で胸許をひらひらと煽ぐような手つきをしながら、片頰で笑った。

しばらく行くと、こんもりと繁った木々の間に朱色の鳥居が見える。

「ちょいと、拝んで行こうかね」

おぶんの後に続いて鳥居を潜る。それは小さな社で、見上げれば軒に燕がいくつも巣を作っていた。二人で肩を並べて頭を下げ、柏手を打った。また頭を下げて顔を上げれば、おぶんは手を合わせたまま呟く。

「おきんさんみたいにゆっくりと我を忘れながら枯れていくのも、神仏の思し召しかもしれない」

突然、またおきんのことを持ち出したが、お咲は「そうだね」と返した。

「身内には辛いことだけど」

「本当はあたしも誰にも看取られずに、世話をかけずに逝きたいけどね。獣や草木みたいにさ、野山で行き倒れられたらどんなに安穏だろう。もっと気楽にさ、そう、気儘におさらばしたいんだよ、あたしは。でも倅夫婦の面目や気持ちを考えたらば、そうも行かない。あたしがいくら望んだって、世間や親戚からとやかく言われるのはあの子らだもの。己の死にようを選べないとは、ほんにままならない」

おぶんが肥った躰をゆっくりと回したので、お咲も踵を返した。おぶんは歩きながら、話を続ける。

「けど、今日、あんたらの話を聞きながら思ったよ。死んじまうその刹那まで身内とかかわって生きてるんだから、死にようが思うようにならなくても当たり前だって。今はこうやって好きに出歩いてるけど、あたしもいつかは必ず弱って倅らの世話になる日が来る。弱みを晒す。その覚悟をいずれ、決めないといけないんだろうって」

鳥居の外に出てまたゆっくりと歩く。

「おや、半夏生だ」

おぶんが腰を屈めた。

黄色の小花が集まった花穂を垂れ、丸い緑葉は半分だけ白粉を刷いたように白い。その不思議な美しさに、お咲は「へぇ」と洩らした。

「これが、半夏生。あれ、この葉っぱ、白と緑の二色になってる。ここも」

「紫陽花といい半夏生といい、雨の多い今時分には色変わりする草木が多いね。なぜなんだろう。……お咲、半夏生はどくだみの仲間さ。匂ってごらん」

鼻を近づければ、ぷんと臭う。藺草の匂いを濃くしたような、いや、ぽちが粗相をした畳の臭いにも似ている。

顔をしかめると、おぶんが「何てぇ顔だ」と眉を下げた。

「こうして葉を白く化粧して、虫を呼ぶらしい。だから半化粧（はんげしょう）ってぇ二ツ名がある」

佐和の白い胸を思い出して、お咲は顔をそむけた。

三

皐月（さつき）の梅雨が明けて、暑さが日増しに厳しくなった。

三日泊まり込んでの介抱の帰り、朝陽の中を鳩屋に向かって歩いている。いつものごとく寝が足りていないので額が重いが、時々、後ろを振り向いてやらねばならない。

「佐分郎太、じゃなかった、杵屋さん、大丈夫ですか」

「はい……」

男の介抱人の見習いと偽って、佐分郎太は介抱先に一緒に入っていたのである。先月から数えれば今回で三度目になるが、帰りはいつもこうなる。足はよろよろと千鳥になり、物を言うのも大儀そうだ。ゆえに一回きりで懲りるかと思えば、「もう一軒、別のお宅を拝見したい」と踏ん張ってきた。

介抱先はお咲が通い始めて半年ほどの、炭屋の女隠居だ。

歳は七十四で、数年前に眼を病んでから外出（そとで）をしなくなり、足が萎（な）えてしまった。身を思うように動かせなくなった年寄りは多かれ少なかれ癇癪（かんしゃく）持ちになるが、炭屋の隠居

は癇を立てることはない。むしろお咲に気を使い、目薬の世話をするだけで、逐一、

「すまないねえ」と詫びる。そして目尻に涙を溜めるのだ。

「お咲さんだけが頼りですよ。あんたの来てくれる日が、どれだけ待ち遠しいことか。あんたが帰っちまうと、もう心細くって」

躰を拭いている最中でも、垂れ下がった乳房を揺らして嘆く。

「倅夫婦もどういう料簡をしてんだか。赤の他人に任せきりで三日も顔を見せないって、お恥ずかしい限りですよ」

「ご隠居さん、介抱人はお身内に躰を休めていただくためにも雇われているんですから、そういうお気遣いはご無用に願います」

「でも、情けなくって」と、隠居はうなだれる。

そして奥からは、三味線の音が響いてくるのだ。倅夫婦は年頃の娘の稽古事には熱心で、しじゅう三味線や琴、舞の師匠を招いている。老いて行くばかりの親ではなく、我が娘の行末に手間暇をかけているらしい。

実際、倅夫婦は頑として隠居部屋を訪れず、たまさか帳場前で顔を合わせた倅はお咲と佐分郎太にこう言い訳をした。

「おっ母さんの言うことを聞き入れてたら、切りが無いんですよ。日がな一日、片時もそばを離れないなんて無理だ。商いを放り出せるほどの身代を受け継いだわけじゃありませんしね」

お咲は「そうですね」とも言えず、ただうなずくしかない。

佐分郎太は二日目の夜、使用人部屋に引き上げる前に、廊下でお咲にこう囁いたことがある。

「娘の先を思うんなら、親の介抱も手伝わせたらいいのに。いずれ嫁いだら必ず、行き遭うことでしょう。誰もが親から生まれてんだから」

「だからああして娘さんに箔をつけて、介抱人を雇える家との縁組みをと考えておいでなんでしょう。ともかく介抱人は、お身内から相談されない限りは雇主のやり方をとやこう申せません。ましてあなたは実状を知るために来てるんでしょう。己の考えを持ち出して非難したいだけならこうして介抱先に入らなくても、川縁の涼み台に腰掛けてでもできますよ。どうぞ、あたしは構いませんからお帰りください」

思い切ってきつく言ったので、佐分郎太は「すみません」と顔に朱を散らした。それからは黙々と介抱を手伝っていた。

そして今朝、三日目の介抱を終えてお咲は倅夫婦の居間に挨拶に行った。佐分郎太を伴ってだ。

敷居際に膝を畳むと、倅夫婦と孫娘が朝餉の最中だった。

「ご苦労さん」

倅はそう口にしたが、女房と孫娘は黙したままだ。お咲の顔を見たら寝ついている姑を思い出す、朝から鬱陶しいと言わぬばかりの素っ気なさだ。

「あの、一つ、お伝えしておきたいことが」

「何ですか」

「ご隠居様の汗疹がひどうございますので、日に一度は躰を拭いていただいて、膏薬を」

するとと女房が箸を叩きつけるように膳の上に置いた。顔だけをこちらに向け、眦を吊り上げている。

「介抱人の分際で、指図ですか」

「申し訳ありません。ただ」

「おっ姑さんはどうせ、私が何もしないって言挙げしてんでしょ。そんなわけ、ないじゃありませんか。ひと月のうち、鳩屋さんに来てもらってるのは半分ほどですよ。あとの半月はこの私が看てるんです。目薬の世話をして目やにを拭いて、むろん汗疹のことだって承知してますよ。だから躰も拭くし、ふだんは寝入るまで枕許にいます。おっ姑さんはいつも有難いって、言い暮らしてるんです。あんただけが頼りだよって。でも親戚やご近所が見舞いにきたら、倅夫婦は娘に手一杯で、あたしには手が回らないんだ、心細くってたまらないと訴える」

倅が「おい」と止めたが、女房は取り合わない。

「皆、その片口を信じちゃって、そりゃあ陰口を叩かれて。周りもいっそ面と向かって言ってくれたらば申し開きもできるけど、奥歯に物が挟まったような言い方しかしないもんだから、どうしようもないじゃないの。おっ姑さんはそうやって他人の気を惹いて、情につけ込む。自分だけが気の毒がられていたいんだ」

「いいかげんにしないか。仮にも私の母親だよ」

「だから介抱人を雇うことにしたんじゃありませんか。でないと、ここが冷えちまってどうしようもなくなる」

女房は俯いて、自分の胸に握りしめた拳を当てた。

「もうおっ姑さんの目の前で、笑っていられなくなる」

娘が母親のそばに寄り、その背中を黙ってさすっていた。

佐分郎太はその悶着を思い出したのか、「追い詰められてますね」と歩きながら呟いた。

「介抱する側もされる側も、追い詰められてる」

鳩屋に帰ると、お徳と五郎蔵は思案顔になった。

佐分郎太が上がり框(がまち)に腰を掛けたまま肩を落とし、言葉数も少ないからだ。

「杵屋さん、そんなとこに坐ってないで上がっておくんなさい。今、茶を淹れやしょう」

五郎蔵が親身な声を出したので、「はあ」と曖昧に応えながら夏火鉢の前に坐りはした。が、背中を丸めたままだ。

お徳は奉公帳をつけているお咲のそばまでわざわざやってきて、佐分郎太をそっと振り返りながら訊ねた。

「大丈夫かい。介抱先で、何かしでかしたんじゃないだろうね」

「そうじゃないけど。知りたがっていた実状とやらを目の当たりにしたら、行き詰まっちゃったみたい」

「今さら困るよ、そんな勝手なこと」

お徳は取って返し、佐分郎太の前に坐り込んだ。

「杵屋さん、実状探りはもう気がお済みになったでしょう。介抱指南の原稿書きもいよいよでござんすね。何だかんだで六月はかかるとかおっしゃってましたけど、もう水無月ですよ。そろそろ始めないと、正月の出板には間に合わないんじゃありませんか」

「介抱指南ですか。どうだかなあ」

「どうだかって、まさか出板を取り止めたりするんじゃないでしょうね」

佐分郎太は「うぅん」と唸って、ますますうなだれる。五郎蔵は驚いて、「杵屋さん」と茶筒を振り回した。

「それは、ねえでしょう。うちは、さんざっぱら助力したんですぜ。それもこれも、介抱指南を出したいってぇ杵屋さんの熱意に打たれたからだ。なあ、お前」

「そうですとも。世の為、人の為」

そして鳩屋の為。

お咲は内心で呟きながら筆を使う。出板とやらでいかほどの儲けを当て込んでいるのかは知れないが、五郎蔵とお徳夫婦は杵屋の気を盛り上げようと躍起になった。

「介抱そのものはさほど、難しいことじゃないんですよ。寝床と躰を浄く保って、心を安寧に、時には何げない話で少し笑い合えればいいんです。ねぇ、お咲、奉公帳なんぞ後でいいから、こっちに来とくれ」

お咲は仕方なく膝を立てた。佐分郎太の隣に腰を下ろす。

「その、少し笑い合えればいいってのがどれだけ難しいことか、私は思い知りました。介抱には、当人と身内それぞれの人柄が絡み合うんです。さようですね、お咲さん」

「そうですね。親子、嫁姑でも時には本音を言い合うことが大事だと思います。建前だけじゃあ気持ちは通じない。でもすべての本音を口に出したら、やはり傷つけ合うことが多い。だから昔の人は、孝という分別を作ったのかもしれません。元は雁字搦めのものじゃなくて、もっと緩やかな、互いの言い分が真っ向から対立した時はまず目上を立ててみる、子は親に従ってみる……そういう目安だったのかもしれない」

「生きるための知恵ですか、それは」

「あたしがそう思うだけですけれど。養生訓で説かれるように、心の安寧を保って生きていくための知恵。介抱にはやっぱり、心のもちようが出るんですよ。同じことをしても、指先から肌へと心は伝わっちまう。でも介抱指南でそれを書いたら、ただの心構えに過ぎなくなる。こんなことは百も承知だ、結局、昔ながらの孝を説いてるだけじゃないかと捉える人が多いでしょうね」

「そう、当人と身内を追い詰めてしまいます」

お徳と五郎蔵は話についてこられぬようで、佐分郎太とお咲の顔を右、左とかわるがわる見ている。

通りを、冷や水売りの声が行き過ぎる。大八車を曳く音に、蟬の鳴き声が混じる。

ふと、佐分郎太が顔を上げた。

「いっそ、ぎりぎりを攻めるってのはどうですかね、お咲さん」

「ぎりぎり」

「そうです。介抱する側もされる側もいっそ居直って、そう、笑って介抱を学べる『生き生きぽっくり指南』とか。いや、その前に介抱される側の心得を説いた『開き直り十八番』ってのはどうでしょう。ちょっとした心の持ちようを面白く、押しつけがましくなく説くんですよ」

思案を口にする杵屋は打って変わって胸を張り、顔にも血色が戻っている。

「幼い子らも老いを学べる『よいよい双六（すごろく）』なんぞ、正月遊びにぴったりだ」

五郎蔵とお徳は眉を顰（ひそ）めた。

「よいよいって、悪ふざけが過ぎやしやせんか」

「ほんに。方々から叱られますよ」

お咲はおぶんの言葉を思い出した。

——親の介抱に尽くした者ほど、自身は誰の世話にもなりたくないと口にする。これって、どうなんだろう。

その言葉がずっと気にかかっていた。

「杵屋さん、いいかも。そのぎりぎり」

「そうですか」

どうにもならないことだから、いっそ洒落のめしてしまおう。

「どうせなら、『楽しい往生の仕方』ってのもどうでしょう」

お徳は「お咲まで、どうしちまったんだい」と顎を引く。奇妙なものを見る目つきで、五郎蔵も首を傾げている。佐分郎太だけが「そいつぁ、いい」と大乗り気になった。

「ぜひ『よいよい双六』も作ってください。『開き直り』ってのも」

そう言うと、佐分郎太はにわかに忙しげな気配を立てて腰を上げた。

「こうしちゃいられない。さっそく書き手を呼んで、書かせてみますよ」

前のめりになって土間に下り、暖簾を潜るのももどかしげに出て行った。

「どうなるんだ、介抱指南は」

「売れりゃあ、何でもいいよ、うちは」

五郎蔵とお徳は少々疲れた顔をして、茶を啜った。

甚兵衛長屋の路地に入ると、何やら騒がしい。

真昼には珍しく井戸端に人が集まっていて、輪の外にはおきんを背負った庄助と、そのかたわらにはおぶんの後ろ姿も見える。少し潮臭い匂いがするので、魚売りが来ているようだ。塩辛い、威勢のいい男の声だ。

おぶんに後ろから声をかけた。

「何の騒ぎ」

「ああ、お疲れさま。馳走してくれるらしいよ。鯵の刺身だって」

気のない言いようだ。

おきんの横顔はまたいちだんと痩せているが、童のように笑って前へと手を出す。庄助がお咲に気づいて、小腰を屈めた。

一緒に輪の中へと進むと、諸肌を脱いだ男が井戸端に屈み、魚を捌いていた。胸から肩にかけて彫り物があり、墨色の鯉が尾をうねらせて水飛沫を上げている。市中には彫り物を入れている火消しも多いので驚きはしないが、鯉の目玉にそれは澄んだ青が差してあり、妙に生々しい。

俯いた男の顔はよく見えない。けれど、頭は白混じりだ。そして男のそばに、ぽちを抱いた佐和が立っていた。

「おや、お帰り」

佐和はあの日と同じ白麻の夏小袖を着て、半化粧のような葉を描いた袖を揺らした。ぽちを抱え直したらしかった。磨き抜いてきた佐和の肌は首筋から頰まで抜けるように白く、唇に挿した紅だけが魚の鱗のように光っている。
彫り物の男がすいと顔を上げ、佐和を見上げた。そのままお咲に眼差しを移してくる。
「三光の旦那」という名が過ぎった途端、周りのざわめきが一斉に遠のいた。
真夏が始まる。
お咲は長屋の屋根越しにぼんやりと空を見て、今年こそ日傘を買おうと思った。

菊と秋刀魚

一

介抱仕事を終えて、いつものように豊島町の鳩屋に寄ってから菊坂台町に帰る。

朝夕はしのぎやすくなったものの、昼前はまだ陽射しが照りつける。日傘をくるり、くるりと回しながら顔を上げ、坂道を上る。

白地に小さな青菊を描いたこの日傘は、珍しく己に振る舞った、ささやかな贅沢だ。

お徳や朋輩らからは、

「遠慮がちな絵柄だねえ」「身形を構わないんだから、持物くらいもうちっと派手なのを選ぶがいいのに」

さんざんな言われようをしたが、人目を惹かない地味な物の方が介抱先にも差していきやすいし、小ぶりで軽いのも気に入っている。じつは、夏が終わるのが惜しいほどだ。

坂を上りきって西に折れ、甚兵衛長屋の路地に入った。急ぎ足で奥に向かう。

いつものごとく、一休みもせずに水を汲んで米を研ぎ、お菜を拵えねばならない。湯屋に行くのはそれからだ。汗を流し、少しばかり昼寝をしよう。この三日、介抱先に泊まり込んでいたので、昼寝の心地よさを思い浮かべるだけで瞼がうっとりとする。

開け放した油障子の前を行き過ぎて、ふと足を止めた。数歩後ずさって、中を窺う。

「こんちは」

返事がないが、奥の縁側に坐って仕事をする庄助の背中が見えた。庄助は菊職人で、家の前の路地や裏庭が仕事場だ。

「精が出るね」

再び声をかけると日に灼けた首筋が動き、こっちを振り向いた。

「今、帰りかい」

片膝を動かして立ち上がろうとするので、お咲は「そのまま続けて」と胸の前で手を振った。上がるつもりはなかったが、気がついたら日傘を畳んでいた。

おきんさんの顔、ちょっとだけ見ていこうか。

勝手知ったる家のこと、土間に並べた植木鉢に裾を引っ掛けないように気をつけながら下駄を脱いだ。日傘と風呂敷包みを揃えて板敷の隅に置き、「お邪魔します」と中に上がる。おきんの枕許にそっと腰を下ろし、顔を見下ろした。

年寄りは寝が浅いので、すぐに目を覚ます。だが今日はよほど寝入っているのか、口を半開きにしたままだ。おきんの額や頬に掌で触れながら、縁側の庄助に声をかけた。

「顔色、随分といいね」

本当は、これまで介抱してきた年寄りの様子から判ずれば、いつ何どきお迎えがきてもおかしくない枯れようだ。眼窩と頬が落ち窪み、薄い掻巻を掛けただけの肩も随分と骨ばっている。

それでも手で触れる肌はなめらかで清く、襟も垢じみていない。介抱が行き届いている証だと、頭が下がる思いがする。

「庄助さん、よくやってるわ」

庄助は「いいや」と返してくる。

「俺は何も。おぶんさんだ」

もう一年ほどになるだろうか、おぶんは深川からここまで足繁く通い、おきんの介抱を助けている。庄助は初め、おぶんに頼りたがらなかった。稼業と介抱、この両方を抱えて疲労困憊していたのに、おぶんの申し出を撥ねつけた。

あの頃の庄助の姿を思い出すと、別人のような気がする。以前は誰とも口をきこうとせず、世間から目をそむけるように俯いていたのだ。

今から思えば、介抱に明け暮れる日々が庄助から生気を奪っていたのかもしれない。老いが残酷であるのは当人だけでなく、時として周囲をひたひたと侵し、己の側に引きずり込むことにあると、お咲は近頃、そんなことを思う。老木が枝を巻き込んだまま朽ちていくように、若い者の日常を奪うのだ。とくに庄助のような職人は介抱の要る親を抱えているだけでまず女房の来手がないので、自身は独り身のまま老いていかねばならない。

ところがおぶんは、押しかけ介抱に打って出た。自ら「隠居道楽だ」と言い放つ洒落っけもあって、庄助は渋々ではあったがおぶんの助けを受け容れた。たぶん、抗い切る気力すら残っていなかったのだろう。それほど追い詰められていた。

今、こんなふうに気安く言葉を交わせる間柄になるなど、以前は思いも寄らなかったことだ。庄助が口にした通り、おぶんのお蔭だとお咲も思う。介抱は、一人と二人とではできることが天と地ほど違う。

と、庄助の膝のかたわらに藁束のようなものが積んであるのに気がついた。縁側に近づき、庄助の斜め後ろに腰を下ろす。

「へえ。藺がらじゃないの」

前屈みになって覗き込んだ。藺がらは古い畳表をほぐして水に漬けたもので、草花の茎を垣根や支柱に結わえつけるのに用いる。

「よく知ってるな」

「亡くなった舅が草花を丹精する人で。あたし、藺がらを鋏で切るのをよく手伝ったのよ。このくらいの幅に、半尺ほどに切り揃えて」

お咲は両の手を広げながら、「懐かしい」と口にしていた。

舅の仁左衛門は季節になればお咲に指図をして、朝顔や鉄線の蔓を結わえさせたものだった。

——そんなにきつく結わえちゃいけない。少し動くくらいで、そう、後は本人の好きにさせてやるがいい。

　仁左衛門は時々、草花や樹々を人のように言うことがあって、また仁左衛門が口にすると素直にそう思えた。草木の丹精は、草木の声を聞き取ることから始まるのだな、とも。

　ここは裏店(うらだな)であるので仁左衛門の庭とは比べものにならないほどの狭さだが、庄助は雛段のような物を拵えて菊鉢をびっしりと並べている。

「よくもまあ、こんなにたくさん世話ができること。信じらんない」

　感心すると、庄助が顔を上げてこっちを見た。

「俺、菊の世話をするのが本職だ」

　眉を下げ、苦笑いしている。

「あ。それはご無礼を」

　こんな、何でもないことでも庄助は目許を緩ませるようになった。寝ついているおきんが目を覚ましてまず目にするのは、伜(せがれ)の顔なのだ。庄助がほんの少しでも笑みを浮かべていたら、たぶんそれだけでおきんは倖せなのではないか。

　だが、介抱に専念する者のたいていは、逆さまになる。粥の煮炊きや着替え、襁褓(むつき)の洗濯に追われるあまり、親に穏やかに相対することが減っていく。

「これでも少ない方だ。今年は、変わり咲きに力を入れてるから」

「変わり咲き」

「花びらが渦を巻くみてぇに咲いたり、一回咲いてから花びらが裏を見せて翻ったりする」

「菊がそんなこと、できるの」

「お客の中には、菊の芸だという人もいるな。初めの十日ほどで花を開いて、次の十日でその芸を始めて、最後の十日はそれこそ舞うみてぇに花びらを翻す。菊によっては、三度、見どころが変わるんだ。まあ、作るのはなかなか難しい。とにかく手間暇がかかる」

「庄助さん、そんな凄腕だったんだ。やだ、そうならそうと言ってよね」

お見それしましたと、目が丸くなっているのが己でもわかる。庄助が慌てて「いや」と言い継いだ。

「毎年、こんなのを作ってるわけじゃねぇよ。今年は思い切って極上物に絞れって」

「それ、もしかしたら、おぶんさんの差し金」

干鰯問屋を長年、切り盛りしてきたおぶんは、商いの腕も人並みではなかったようだ。庄助は「うん」と首肯した。

「ここにあるのは全部、注文を受けて作ってる変わり咲きだ」

庄助が言うには、裕福な旗本や文人、大店の主といった好事家の注文を受けて育てているらしい。中には一芽一両という珍種もあるようで、お咲は「粗相でもしたら、事だ」と急に落ち着かなくなった。とっとと退散しようと尻を浮かせる。ところがそんな時に限って、話が途切れない。

「俺は誰でも気軽に買える、ごく当たり前の品種も手がけたかったんだが、安菊だけで暮らしを立ててゆくには数をこなさないとならねぇんでね。こんな裏庭や家の前だけじゃ足りねぇから、これまでは坂下の寺の境内を置き場所に借りてたんだ。おっ母ぁがこうなってからは一人で寝かせとくわけにもいかねぇんで、背負って通ってたんだが」

そういえば以前、時々、坂道で出会ったことがあった。そぞろ歩きだと思い込んでいたが、庄助は母親を背に負って通っていたらしい。

庄助は顎を上げ、家の中を見返った。

「けど、おぶんさんに言われた。たぶん、おっ母さんと一緒に過ごす最後の秋になるだろうから、お前さんに考えがあるのはわかるけど、今年だけは割り切って商いに徹しても罰は当たらないんじゃないかって」

お咲もおきんを振り返りながら、「そうだね」とうなずく。

「それに、変わり咲きは親父が得意にしてた菊だから。おっ母ぁに、久しぶりに見せてやりたい気もして」

そういえば、庄助の父親も菊職人だったと、おきんから聞いたことがある。

「庄助さんのお父っつぁんも、いい職人さんだったんだね」

庄助は顔を戻し、掌の中を見た。繭がらを切るのに使っていた小鋏だ。

「どうだかなあ。俺が知ってる親父は滅多と仕事に身を入れねぇ、気儘な男だったよ。酒にだらしがなくて。おっ母ぁは女だてらに草花売りをして、一家三人の暮らしをようやっと立ててた。うちのおっ母ぁ、右肩がえらく傾いでるだろう。あれ、重い荷を担ぎ過ぎたせいだ」

「そう……」

今はどこもかしこも肉が削げているので、おきんの肩の歪みに気がついていなかった。けれど庄助は着替えをさせるたび、躰を拭くたびに、若き日の母親の姿を思い出していたのかもしれない。

「おっ母ぁは若い時分、そりゃあ気丈者でね。俺はいつもくっついて、町ん中を一緒に歩き回ったもんだ。ところが日が暮れて腹も空いてくるのに、おっ母ぁは帰らねぇんだな。あともう少し歩いたら花好きの家がある、あともう一鉢売ってからって粘ってよぉ。けど夕餉時に訪ねたってすげなく追い返されるだけで、おっ母ぁもまたへこへこと詫びるんだ。すいません、明日、また出直しますんで、もっといいのを持ってきますんで勘弁してくださいって。俺は餓鬼なりに、それが恥ずかしくって。帰り道に坐り込んで、駄々をこねた。そしたらおっ母ぁ、仕方ないねぇって俺を背負ってくれるんだ。担ぎ棒も売れ残りの荷もあったのに、どうやって歩いたもんやら。さぞ、くたびれてただろうに」

お咲は黙って、菊の棚を見渡す。

ふと、硬い音がした。横に顔を向ければ、庄助が縁側の板の上に小鋏を置いたようだ。

「けど、おっ母ぁが気丈に振る舞えば振る舞うほど、甲斐性を示せば示すほど親父は荒れて、酒を呑んでは手を上げるんだよ。だから俺、菊職人になる気なんぞ、これっぱかしも持ってなかった。親父が川に落ちて死んだ時も心底、ほっとしたんだ。おっ母ぁも、俺も生傷が絶えなかった」

庄助は商家に奉公し、お店者になりたかったらしい。それが母親に孝行できる早道だとも考えたようだった。

「けど、おっ母ぁが言ったんだ。お父っつぁんみたいな、いい菊職人になっておくれって」

そういえば、おきんが不思議なことを口にしたことがある。何だったたっけと、頭の中を澄ませてみる。そうだと、思い出した。浅草寺の境内で、おぶんと庄助が菊鉢の値を巡って少しばかり悶着になったのだ。おぶんは「こんな値つけは安過ぎる」と尋常な客とは逆のことを言い、庄助もまた「いただき過ぎです」と我を張った。

その時、おきんが言ったのだ。

――うちの人を責めないで。文句をつけないで。

あれは亡くなったご亭主と庄助さんを混同して、ご亭主を庇って放った言葉だったのかと、気がついた。

人の生きようはつくづく妙な按配が働くものだと、お咲は板塀の向こうの空を見上げる。

おきんにとってはさぞ苦労の多い亭主であっただろうに、倅には同じ職人になることを望んだ。庄助はどんな気持ちで、母親に応えたのだろう。

ただ、母親の望みをかなえたい一心があっても、それだけで腕がついてくるわけではない。職人仕事がそんな甘いものでないことは、お咲にも察しがつく。けれど庄助は毎年、菊を作り続けてきたのだ。年老いた母親の介抱をしながら、花びらの一枚一枚に気を注いできた。

庄助が胡坐の上に肘をつき、半身を前に屈めた。

「たま、お前も見舞いに来てくれたのか」

妙なことを言うと思って庭に目を移せば、銀色の毛を持つ猫が入って来ていた。

「え。ぽちじゃないの、この猫」

「たまだ」

「そう。けど、うちに出入りしてるのとそっくり」

佐和は茶碗すら己で洗わないのに、猫のぽちにはお菜の食べ残しや煮干をやるので、妙に懐かれている。時折、鏡台に焼魚の頭を置き放しにしていることがあって、お咲は鼻を摘まみながらそれを捨てねばならない。

首を傾げていると、庄助が肩を揺らして噴き出した。

「同じ猫だ。佐和さんはぽちで、裏のご隠居は銀太郎、うちのおっ母ぁはこいつをたまって呼んでる」

皆、自分こそが真の飼主だと思っているらしい。

「猫ってほんと、ちゃっかりしてるよね」

お咲は笑いながら、ぽちの来訪を機に立ち上がった。

「とんだ長居しちゃって。こんなにお邪魔するんなら、何か手伝えば良かった」

「いや、いつも気に懸けてもらって」と、庄助も腰を上げる。お咲はおきんの枕許の前でもう一度、膝をついた。おきんは薄く目を開いているが、目の玉の動きは緩慢だ。

「また、寄りますね。お大事に」

耳に顔を近づけて告げると、白い睫毛だけが動く。いつのまにかぽちが中に入って来ていて、おきんの顔の前で前肢を揃えた。行儀の良い仕種で、方々でいい餌をもらっているからか毛並みも艶々としている。

するとおきんが顔をそろりと動かし、乾いた唇を開いた。「たま」と呼んでいる。

久しぶりに、おきんの声を聞いた。

二

庭が日増しに色づき、池の水面は木々の赤や黄、深緑、そして空の青を映して揺れている。

お咲は洗濯物を下女に渡してから、庭に面する広縁を取って返す。歩いている最中に思いついて、座敷の前で腰を下ろしてから「お松様」と呼びかけた。

「楓もそろそろ紅葉を始めたようにございます。お庭に出てみられませんか」

持って回った言い回しに舌を噛みそうになるのだが、この隠居屋敷では「万事、御殿(ごてん)風に」と言い渡されている。

右奥、床の間の前に坐ったお松は齢(よわい)七十で、耳が少し遠い。もう一度、今度は声を高くして訊ねてみたが、小さな白塗りの顔は豪奢(ごうしゃ)な打掛(うちかけ)の襟に埋もれたままだ。

素顔は若い頃はさぞかしと思わせる華やかな目鼻立ちで、皺や染みもほとんど目立たない。けれど毎朝、首筋からたっぷりと練り白粉を刷き、額に眉を置いて紅をつける。本来の顔色を塗り込めてしまうので、躰の具合はもちろん機嫌の良し悪しも察しがつけにくい。

お松はようやく目だけをちろりと動かして、妹のお梅を見やった。広縁に面した下座に坐っているお梅は、六十八だと聞いている。

お梅は姉の意を汲んでか、お咲の肩越しの庭に目をやった。

「今日は少しばかり、風が冷たそうですの」

穏やかな声音であるものの、お松はお梅を通じて「庭になど出ぬ」と返答してきた。

これも御殿風なのだろうか、お松自身は介抱人であるお咲に対して滅多と口を開かず、妹に差配をさせる。高貴の人は下々と直に口をきかぬものらしいが、この家も同様の風儀であるのだ。

この家に泊まり込んで今日が三日目になるが、お咲がお松の声を聞いたのは昨日の朝、ただ一度きりだ。

お松は大奥に長年、奉公した御殿女中であったらしく、御台所(みだいどころ)から拝領した一領という、それは見事な打掛を身につけている。腰から裾まで菊籬(きくまがき)が刺繍(ぬい)で描かれ、胸と肩に置いた雲や鳥には箔や絞りが凝らしてある。お咲はそれを寝間の衣桁(いこう)に掛ける際、ずっしりと手に重いことに驚いた。

他の打掛も金糸銀糸を使った重みがあって、いずれも身の力が落ちた老婆には不向きだ。お咲は長持(ながもち)から染めの小袖を見つけ、勧めたものだ。

「お松様、こちらは軽うて、身ごなしもしやすうございます」

するとお松は一瞥(いちべつ)して、赤い口の端を下げた。

「町方(まちかた)らしき」

初め何と言われたのか、わからなかった。後になって、「私がそんな物を何ゆえ、身につけねばならぬ」と鼻であしらわれたことに気がついた。

お松たち姉妹はそもそも、町人の家の出であると聞いている。富裕な家では器量(きりょう)の良い娘を大奥や大名屋敷に上げるのを何よりの誉とするので、お松は親の願い通り、お城に上がったようだ。お梅は市中の大店に嫁いだようだが亭主に先立たれ、子もなかったので、姉が建てた隠居屋敷に身を寄せて共に暮らしてきた。

といってもお松がここの主であり、お梅は女中頭(がしら)のような仕え方だ。お梅は暮らしの何もかもを姉の好みに合わせ、姉の意を汲んで暮らしている。しかもお松が手水に立つとなれば廊下専用の厚い草履を手ずから揃え、雪隠では袖と裾を持って尻を拭く。世間とは万事がずれている姉を、お梅はずっと面倒を見てきたようだ。

だがお梅も年老いている。いわば、老老介抱だ。それで世話が行き届かなくなったと、鳩屋に依頼が来たのである。

お咲は座敷の中の二人を見た。上座のお松は横顔で、お梅はこちらに顔を向けて坐っている。

口数が少ないことを除けば、姉妹にはあまり似ているところがない。お梅はさして人目を惹かぬ地味な顔立ちで、着物も歳相応の色柄だ。むろん白粉もつけないので、顔だけを見ればお梅の方が姉より遥かに老けている。

「それより、そろそろお薬湯をいただく刻ではありませんか」

お梅に薬の支度を命じられた。生まれも嫁ぎ先も大店であったからか、お梅の物言いも急かず慌てず、しとやかな品がある。暮らし向きにあくせくしたことなど一度もない、ましてお咲のように節季払いに頭を悩ませたり、借金を返す苦労にも無縁の世界で生きてきた人なのだろう。

「承知いたしました」

素直に引き下がり、薬湯を煎じに台所に向かった。

火鉢に土鍋をかけながら、薬袋を開く。上方の名のある医者の処方であるらしく、丸薬を合わせれば七種もの薬だ。血の流れを良くし、五臓六腑の働きを助け、滋養を補う。薬に頼りがちな年寄りは珍しくなく、中には神仏頼みに近いような代物もあるが、朝昼晩、七種を口にするのはかなり多い方だ。

どうしたものかと溜息を吐きながら、土鍋に水を注ぐ。

家の中にこもりがちな年寄りにとって、庭の景色の移り変わりを楽しむひとときが何よりの薬になるとお咲は思っている。これまで介抱してきた多くの年寄りは、いつもと異なる色や匂いに接することで目の光を取り戻し、口数も増えた。

ましてお松は膝から下が萎え始めているものの、手を添えれば庭も充分歩けるはずだ。だが、まだ一度も「そうしてみよう」と首肯したことがない。ただじっと座敷に坐り、妹以外の誰とも口をきこうとしないのだ。

こんな毎日を送っていたら間違いなく足腰が立たなくなるか、老碌の症が出る。そう遠くない日だろうと、これは介抱人の勘のようなものだ。

焦るんじゃないと己に言い聞かせながら、匙で土鍋の中を掻き回す。

今、深刻な症があるわけではないのだ。躰を動かさない、薬を呑み過ぎる。いずれも長年の慣いだ。気長に取り組んでいくしかない。何かにつけて億劫になり、毎日、決まりきった事しかしたがらないのも年寄りにはよくあることだ。

が、己が果たして介抱人として役に立っているのかどうか、二人ともあまり満足していないのではないかと、内心で案じる思いもある。命じられた通りのことをするのなら何もあたしでなくても、他の介抱人でいいんじゃないかと迷いもする。

お徳には「いいのかい」と念を押されたのだ。

――御殿女中上がりのご隠居なんて浮世離れしてて、手こずるんじゃないかえ。

依頼の文が鳩屋に来たのはひと月前、盆が過ぎた頃だった。


文に目を通した途端、五郎蔵は上機嫌な声を出した。

「前にかかわった介抱先から新しい口を紹介していただけるたあ、嬉しいね」

巻紙をお徳に返し、火鉢の猫板の上に湯呑を三つ並べ始めた。

「ほんと、御前がお元気そうで何よりだわ」

お咲も思わず頬が緩んだ。文には、以前、お咲が介抱に入った旗本の隠居、白翁からの紹介だと記してあるようなのだ。

「なあ、お徳、この調子で行きゃあ、お武家の間でも介抱は鳩屋におまかせ、そういうご時世が到来するぜ」

「また。お前さんはどうしてそうも、上っ調子なのかねえ」

五郎蔵は何かにつけて物事のいい面しか見ようとしないので、女房のお徳にしじゅう尻をつねられる破目になる。

お徳は煙管の雁首を火鉢の縁に置き、文を巻き直しながらお咲に「どうする」と訊ねた。

「どうするって」

珍しいこともあるものだ。どの話を受けてそこに誰を行かせるかは、鳩屋の主夫婦が采配を振るのが常だ。

「御殿女中上がりのご隠居なんて浮世離れしてて、手こずるんじゃないかえ。気位が高くて、ささいな事にもうるさいらしいよ。あんたが難儀そうだと思うんなら、お咲は今、手一杯だ、他の者を行かせるんで良ければって返したっていいよ」

「でも。御前の紹介をむざと断るのも、どうかな」

「別にいいだろう。口入屋稼業は奉公先の見定めが肝心だからね。御前だってそんなことわかってなさる。不義理にはなりゃしないよ」

お徳はそう言いながら五郎蔵に「お前さん、お茶は後でいいから帳面」と言いつけ、後ろの簞笥の抽斗から持ってこさせた。帳面を開き、五郎蔵の鼻先に「ほら」と突きつける。

「越前屋さんに磯十さん、杵屋さんの口利きで広小路の、ほれ、芝居小屋をやってなさる。ここもお咲をご指名だ」

お咲に帳面を見せぬように掌で立て、どんどん小声になる。

「そういや、ここも口入料を弾むってぇ話だったな」

お徳が「しっ」と五郎蔵の膝を叩いた。何のことはない、お徳は鳩屋にとって実入りのいい介抱先にお咲を行かせたいだけのことだ。

「ねぇ。白翁のご紹介の介抱先ってどこ」

お徳は「え」と面倒そうに文を見返した。

「本所の柳島村だ。萩寺の近くだって」

白翁の隠宅は向島で、柳島村は目と鼻の先とは言えないが、見舞いに寄れないほどの遠さでもない。

老碌の症が出ていた白翁の世話をお咲から引き継いだのは、用人である大野である。大野は主の看取りを自身で行なうと決め、これからお咲に「介抱を習う」と言っていたのだ。が、以来、音沙汰がなく、お咲も気になりながら、訪ねられないまま日を過ごしてしまっていた。

白翁に限らず、いつも今の介抱に追われて、人伝てに「あのご隠居、先月、亡くなったよ」と聞かされることも多いのだ。お咲は常に新しい介抱先に出向き、介抱の目途がついたら鳩屋の他の者や身内に後を委ねるのが役割でもある。

あたしはそういう、橋渡しの仕事をしているのだと料簡していながら、どこかで割り切れぬ、何かをし残したような気持ちを胸の底に抱えたままだ。

懐にしまってある銀の猫に手を当て、膝を前に進めた。

「あたし、柳島に行かせてもらいたい」

「そうかい。まあ、ここも悪い話じゃないけどさ」

お徳はまだ惜しそうな顔つきで、上目遣いになった。五郎蔵が「けど」と腕組みをして、首をひねる。

「婆さん二人の隠居暮らしで、よくもこれだけの介抱料、出せるもんだな」

妙な感心のしかたをした。

「このお松って姉さんは五十年近くも大奥に奉公した人だってんだから、そりゃあ貯め込んでたんだろう。御殿女中のお扶持(ふち)やお手当って凄いらしいからね。市中でいやぁ、名のある棟梁くらいの稼ぎは軽くあるらしいよ」

「そんなに稼ぐのか」

「そうさ。おまけに長年勤めた女中なら、奉公を退(ひ)いてからも大したお手当をいただけるって。ほら、横町の黒塀(くろべい)屋敷も家主は御殿女中だった人だって。店賃(たなちん)だけでも、相当あるだろう」

鳩屋夫婦は他人の懐を頓着して、「ま、いいか」と顔を見合わせた。

「柳島にしばらく通ってから後は誰かに行かせて、それから次は」

「越前屋だ」

二人はこそこそと欲張って、帳面を指差した。

薬湯を煎じて、朱塗りの片口に移した。お松はこれを盃に注がせて呑むのだが、盃も紋入りの朱塗りだ。脚付きの膳に片口と盃をのせて、お咲は静々と廊下を引き返す。いつもの対丈(ついたけ)の袷(あわせ)であるが、立ち居振る舞いにこうも気を使っていると、長い裾を曳き、帯を立矢結びにした御殿女中のごとき気分になるから不思議だ。

「お待たせいたしました」

いったん座敷の敷居前で腰を下ろす。するとお梅の姿が見えず、お松だけが白い顔をして坐っていた。

中に入って前に進み、盃を差し出すと、打掛の袖がゆっくりと持ち上がる。指先に微かな震えがあるので、薬湯は二口分ほどしか注ぐことができない。それでも幾滴かは零れ、小袖の前を汚す。布巾で拭いながら、ふと目を凝らした。

やはり、そこかしこに染みがある。最初の三日勤めはたいてい、屋敷内の間取りやその家の気風を摑むのに費やすので、こういう細かなところにまで目が行き届かない。豪奢な打掛もよく見れば、方々の刺繡の糸がほつれ、箔が剝がれかかっている。

打掛がやけに重いのも、虫干しやふき綿の打ち直しなどの手入れをしていないせいではないかと思い当たった。長年の汗や汚れが浸みて、じっとりと痩せた躰にのしかかっている。

女用人のように姉に仕え、しかもいつも地味ながら身綺麗にしているお梅が衣裳の古びに気づかぬとは、少し解せない。いや、お梅も本来なら子や孫にいたわられている歳なのだ。無理もないと思い直した。

お松は薬湯を啜り終え、盃をお咲に返した。大仕事を果たしたように薬臭い息を吐き、下唇だけを前に突き出す。紅が半分、剝げている。

お松がゆっくりと発した。

「にわ」

「にわ……庭でございますか。庭がいかがしました」

「紅葉狩をいたそう」

「さようですか。庭にお出になりますか」

思わず声が高くなって、膳を脇に置き直した。

脇息に半身を預けている格好のお松をいかに立ち上がらせるか、頭の中で算段する。

年寄りを立たせる場合、腋に肩を入れながら尻を持ち上げてやると危なさを避けられ、本人もその方が楽だ。

「お松様、打掛はいったんお脱ぎになっていただけませんか」

力の弱っているお松は歩く際に褄を持ち上げられないし、万一、裾を踏んで転びでもしたら事だ。でもきっと撥ねつけられるのだろうと思いながら口にしてみたが、意外にもお松は「ふん」と小さくうなずいた。

「よしなに」

「構いませんか」

打掛の袖から腕を抜かせ、しっかりと支える。

「ゆっくりと、腰をお上げになってくださいまし」

お松は膝をかくかくと前後に揺らしながらも、お咲の肩に縋りながら立ち上がろうとする。そこにお梅が戻ってきた。

「おや、姉様、いずこに」

立ったまま、姉とお咲を見下ろしている。

お松の躰が急に強張（こわば）ったのがわかった。勘違いかと思ったが間違いない、お松は何か怖いものに出遭ったかのようにすくみ上がっている。

お松の躰を支えながら、目の前に立ちはだかる老女を見上げた。

「お咲、姉様は横におなりになりたいようです。床を敷くように」

お梅はいつに変わらぬ、穏やかな笑みを浮かべていた。

三

あくる日、姉妹に挨拶を済ませ、隠居屋敷の裏門から外に出た。最初の三日勤めを終えたので、明日休んだ後、また三日泊まり込むことになっている。

お松は夜、おまるを使うのでその介助はしなければならないが、目が離せない年寄りに比べればいくらかは寝が足りている。

薄（すすき）や野萩が風に揺れ、秋雲が流れていく。

お咲は西の吾妻橋（あづまばし）を目指した。その手前を右に折れ、隅田川沿いに北へと歩を進めるつもりだ。

鳩屋に帰る前に、白翁を見舞うのである。土産はすでに用意してあって、お徳が目利きをしてくれた麩菓子だ。大奥御用達の店で、薄く丸く焼いた麩に秋の七草が色砂糖で描いてあるらしい。見舞いの品はかさばらず、当人が気に入らなければ家人で分けてしまえる物がいい。

歩きながら、いつしかまた、お松とお梅姉妹のことを思い返していた。

昨日の一件から二人の様子を窺っていると、鷹揚に目だけで指図をしているようであったお松は常に、妹の考えを窺っていた。そしてお梅は優しい顔をしながら、姉のすべてを差配している。

「昔のお仲間に、文でもお書きになりませぬか」とお咲が硯と筆を持てば、お松は赤い唇を動かして、乗り気なふうを見せる。けれどお梅が言下に撥ねつける。

「昔のお仲間など、生きておられますものか」

花を活けませんか、歌をお詠みになりませんか、お琴はいかがですかと思案を出しても、

「鋏が危ない」「歌はお嫌いじゃ」「琴の弦は見えぬ」

お松が楽しみを持つのを厭うているかのようにも思えて、なぜなんだろうと歩きながら問い続ける。

不思議なもので、お梅が案を斥けるたび、お松の顔に何かが浮かぶのが、お咲にはわかるようになった。そういう目で見ているからかもしれないが、白塗りの下で遠慮がちな漣が立っては消えるのだ。落胆とあきらめが、細い溜息と共に零れる。

まるで、綾錦の羽根を集めてうずくまっている老鳥のようだった。

「咲、久しいの」

半年ぶりに訪ねたお咲を、白翁は満面の笑みで迎えてくれた。

「ご無沙汰をいたしました。御前にはお変わりないご様子、私にとりましても何よりの果報に存じます」

すると皺深い目許を緩め、脇に控えている用人の大野を見た。大野は相変わらず取り澄ましていて、けれど何やら奇妙な物を目にしているような面持ちだ。

「あの、私、何か無作法を働きました、でしょうか」

白翁と大野を順に見上げる。白翁が「いや」と頭を振る。

「無作法どころか、咲らしゅうもない行儀の良さゆえ面喰ろうておるのだ。なあ、大野」

「仰せの通りにございます」

大野は小憎らしいほど平然とした声で首肯する。

「御前がご紹介くださった、お松様の許に伺っております。それでつい」

言い訳をすると、白翁は「お松」と目を瞬かせた。

「はい。御殿女中を務めておられた」

そこまでを言い、お咲は先を呑み込んだ。もしかしたら憶えが抜け落ちているか、用人の大野が誰かに頼まれて紹介の労を取っただけなのかもしれない。白翁に気取られぬように大野に目を移すと、大野が微かに片眉を下げた。それ以上は突き詰めるなという合図であるのだろう。

　庭には下男が何人も出ていて、落葉を掃いたり、ずらりと並んだ鉢の前に屈んで支柱を立てている。葉の姿形から察するに、菊鉢のようだ。

　お咲は話を変えてみた。

「御前、菊もお好きですか」

「ん。昔は抹香臭（まっこうくそ）うて好かぬと思うておったが、手ずから育ててみるとなかなか面白い。花びらが花火のごとき枝垂（しだ）れになると聞いていた芽が、いざ咲いてみるとごく当たり前のものであったりしての。この歳になっても、草木に裏を掻かれて右往左往しておるわ」

　陽気に笑い声を立てる。ふと、庄助の作った菊を観てもらいたいと思った。庄助に頼んだら一鉢、分けてもらえるだろうか。いや、あたしなんぞにはとても手が届かない極上物だ。

　白翁は煙草盆を引き寄せ、女持ちの華奢な煙管を手にした。

「それは、何じゃ」

　煙管で、畳の上を指している。お咲が持参した菓子箱だ。

　大野が身を動かして箱を持ち上げ、白翁の膝前に差し出した。白翁はじっとそれを見下ろし、煙管を盆の上に置く。と、紙包みをべりりと引き破った。上箱をはずし、中に手を入れる。麩菓子の一枚を摘まみ、眉の高さまで持ち上げた。

「お花の絵。綺麗だこと」

お咲は息を呑んだまま、言葉を返せない。こうして久しぶりに白翁と会い、大野の介抱の手厚さがしのばれて安堵していた。その矢先だ。

白翁の自失はますます間合いを詰めている。

「お嬢様」と、やっとの思いで声をかける。

「大層、おいしいお菓子にございますそうな。どうぞ、お召し上がりくださいませ」

勧めると白翁の頭はこくりと前に傾むいて、丸ごと一枚を口に入れた。

暇(いとま)を告げて座敷を出ると、大野が門の外まで見送りに出てくれた。

「お困りのことがありましたら、何なりと仰せつけくださいまし」

大野は「かたじけない」と言った。

「何度か、その方(ほう)を呼びたいと思う儀が出来(しゅったい)いたしたが、己なりに工夫いたすうちに何とかしのいでこられたのでな」

「もっと早くお見舞いに伺いたかったのですが」

詫びると、大野は「そう殊勝なことを申すでない。調子が狂う」と口の端を下げる。

「そんな。あたしはもともと殊勝にございますよ」

「そうかな。おなごにああも偉そうに物を言われたは、その方が初めてだ。……ゆえにわしはおなごが嫌いだと言うのだ。身の程を弁えず、真実をいきなり突きつけてくる」

大野はいつか白翁がお咲に言った言葉の通りを、真似てみせた。大野は黙っていれば冷淡に見えるのだが、親しく言葉を交わしていると意外に茶目な振舞いをする。

ただし、ことりとも笑わずにそれをやるので、至ってわかりにくい。

少し迷ってから中途半端に笑ってみた。が、大野はもう素知らぬ顔をしている。

「そういえば」と、お咲は思い出した。

「お松様の介抱をご紹介くださったのは、大野様なんですね」

「いや。添え文を代筆はしたが、御前に命じられてのことだ」

「さようですか」

「昔のことはよう憶えておられるのだが、ひと月前からこっちの出来事が曖昧になる」

「お察しします」と呟くと、大野は「ん」と何かに気づいたように語尾を上げた。

「いかがした。もしや、難儀しておるのか」

「難儀というわけではないんですけれど」

「咲らしゅうない物言いだの。はっきり申さぬか」

「お松様は、妹御と一緒に暮らしておられます」

「承知している」

「何とお伝えしたものやら。妹御は姉上に、とてもよく尽くしておられます」

「ああ。お松殿は町人の生まれにしては、大変な権勢を振るわれたお方であったようだからな。御前とも古い見知りで、あの美貌にして胆力（たんりき）、聡明さも並大抵ではなかったと語っておられたことがある。つい何日か前も、その話が出たばかりだ。妹御は逆に、随分とおとなしい性質（たち）であるそうだが」

「ええ。あたしも最初はそう見えたんですが」

お咲は思いきって二人の様子を話してみた。

「なるほど、のう」と大野は息を吐（つ）く。

「忠臣のごとくに見える妹が、姉の意思をことごとく封じ込めている、か」

「思い過ごしかもしれませんが。歳をとれば家の中の主が変わるのは当たり前のことですし、お二人が今のままでいいと思っておられるのなら、介抱人が出過ぎた真似をしてはいけない。それもよく承知しています。でも、お松様を見ていると息苦しさが伝わってくるというか、せめてご自身の望みを遠慮なく口に出せる心地にならないものだろうかと思ってしまうんです」

気がつけば、いつものように右の肘を持ち上げ、懐に手を当てている。

「だって、自身の望みが何なのか、わからなくなっているお年寄りもたくさんいるんです。何が食べたいかと訊ねられても、とんと思いつかない。自分が好きだったお菓子やお菜の名を忘れ、好みも忘れて、そうやって少しずつ己が積み重ねてきた人生が消えてゆく。呆（ぼ）けの症でなくても、老いはかほどに容赦がないものです。ですがお松様はまだ、庭に出てみよう、紅葉狩をしようという気持ちをお持ちです。その気持ちを、あたしはかなえてさしあげたい」

　大野は黙って、お咲を見返している。

「とんだ、節介かもしれませんが」

「そうだな。相変わらず、咲は節介焼きだ」

　やはりそうかと、お咲は肩を落とした。

「が、少し調べてみよう。何かわかれば文で知らせる。鳩屋宛てで良いな」

　礼を言うと、大野は眉根を寄せた。

「御前が少しでもかかわりを持っておられたお方ゆえのことだ。その方のためではない」

　大野は言うなり踵を返していて、たちまち門の潜り戸の向こうへと消えた。

　鳩屋に寄って茶をよばれてから、家に帰った。長屋の路地に入るといい匂いだ。誰かが秋刀魚を焼いたらしい。

　井戸端におぶんがいて、盥の前に屈み込んでいる。

「お疲れさん」

「ただいま。いつもすみません」

　盥の中に入っているのはおきんの汚れ物だが、つい身内のように礼を口にした。

「何言ってんの。これはあたしの道楽だからね」

おぶんは手を動かしながら、いつものように戯言めかす。

「そういや、佐和さんにお裾分けを頂戴してね」

珍しいこともあるものだ。

「おいしかったよ、焼きたての秋刀魚。おきんさんも喜んで、三口も食べた」

「そう、三口も」と言いながら、路地奥の家の戸口に目をやった。表の油障子は閉まっているが、中の様子が目に浮かんだ。急に胸が悪くなる。

「もしかして来てるの。あの、魚河岸の旦那」

「ああ。来ていなさるよ」

頭に血が昇る。

娘が働いてる間に男を家に入れておいて、何が秋刀魚よ。

「あんたがここに寄ったらば、すぐに帰ってくるように伝えてほしいって」

「そんな言伝をしたの」

「お咲、そんな顔しないで、ともかく今日は佐和さんの顔を立てておやり。向こうさんは筋を通すつもりで、あんたを待ってるんだから」

渋々と、歩を進めた。気が重い。油障子を引いて中に入れば、「お帰り」の声がお出迎えだ。

何が「お帰り」よ。いつもは「遅かったねえ」のくせにと、頰が硬くなる。

「留守に上がり込んじまって、すいやせん」

佐和の隣で胡坐を組んでいる男が、軽い口調を使った。つと、膝を改めて頭を下げる。

「あたしは、日本橋でけちな稼業をしております光兵衛と申します。お見知りおきを願います」

「存じております」

いつだったか、この男が「三光の旦那」との二ツ名を持っている由来を耳にしたことがある。粋と気風の良さで知られる男伊達で、いざとなれば見せる凄みが電光石火であるかららしい。かくも有名なのは自分でもわかっているだろうに、己の稼業をけちだなんて落として言うところが厭らしい。

二人の前には箱膳が並んでいて、徳利と猪口も見える。相対して一つ置かれた膳は、お咲のために用意されたもののようだ。

結構なことじゃないか。おっ母さんを引き取ってもらったら清々する。なのに、何でこうもあたしは苛々する。

おっ母さんがあたしを巻き込むからだ。あたしとは縁を切ってどこにでも行ってくれたらいいのに、家に上げたりして、膳まで三つ並べて。

何であたしが、あんたらと一緒に夕餉を取らなきゃなんない。

お咲は夫婦気取りの二人の前を通り過ぎ、奥へと入った。壁際の枕屏風をどんと部屋の真ん中に移し、その陰に屈んで着物を替える。

「お咲、着替えなんぞいいから、さっさとおいでな。お菜が冷めちまうよ。そりゃあ脂が乗っておいしいんだから」

「おっ母さん、秋刀魚なんか好きだったっけ。背の青い魚、嫌いだったろ。舌が臭くなるとか言って」

枕屛風の向こうで、「意地の悪い子だね」と佐和がぼやくのが聞こえた。佐和は女にしては声が低く、それがかえって耳につく。光兵衛が「まあ、いいじゃねぇか」と宥めるのも気に障って、しゅっと帯を締め上げて結ぶと、やにわに立ち上がった。

光兵衛と目が合う。が、日に灼けた面長の顔には、気を損じたふうが微塵も見えない。お咲は屛風の前に出て、腰を下ろした。少しばかり腹を据えた。

「そんなとこじゃなくて、こっちにお坐りよ。お膳の前に」

おっ母さん、何でも自分の思い通りになると思ってたら、大間違いだよ。

「この際だから言わせてもらうけど、外で何をしようが好きにすりゃあいい。けど、家に入れるのはやめて」

佐和は眉を弓形にして、かたわらの光兵衛に顔を向けた。

「言った通りでしょ。お咲はほんに気難しくて、私には手に余るんですよ。だから亭主と姑にも嫌われて、離縁されちまって」

「何てこと言うの。いったい、誰のせいで」

声がわななく。

すると光兵衛が膳の前で立ち上がり、奥に入ってきた。お咲の二尺ほど手前で腰を下ろし、きっちりと膝を畳んだ。

「お咲さん、あたしらの仲を許してくださいませんか。決して、お咲さんに迷惑をかけるようなことはいたしません。今日はそのご挨拶だけさせていただきたく、お邪魔しやした」

光兵衛は折り目正しく頭を下げる。

お咲は「どうぞ、お好きに」と答えた。

「ただ、覚悟なさった方がよろしいかと思います。うちのおっ母さんは、火だるまになった秋刀魚をそのまま男に食べさせるような女ですよ」

と、光兵衛が膝を打った。

「さすが娘さんだ。その通りだ」

大声で笑っている。位負けをしたような気がした。

お咲は鳩屋で目を覚ました。

六日前のあの夜から、長屋には帰っていない。ここで寝起きし、本所柳島の隠居屋敷に泊まり込んで介抱し、そしてまた鳩屋で泊まらせてもらっている。

おぶんは「うちに泊まったらどうだえ。介抱先が本所なら、うちの方が近いだろう」と誘ってくれた。お咲が路地に飛び出した時、庄助の家の前で立っていたのだ。長屋ではほとんどが筒抜けである。

「有難う。でも、鳩屋に頼んでみる」

おぶんと一緒に夕暮れの中を歩きながら、そう答えた。おぶんの家に世話になれば、佐和のことで頭が一杯になるような気がする。おぶんはたぶんお咲の好きなように、何もかもを吐き出せばそれを受け止め、黙っていれば触れないでいてくれるだろう。それはわかっていたが、顛末を知らない鳩屋の方が気が楽なような気がした。誰かの世話になるのがしんどい時もある。

「そうかい」

おぶんはあっさりと引き下がった。こういう励まし方もあるのだと、有難かった。

鳩屋夫婦も何も訊かなかった。奉公する女たちの中には亭主と揉めたりするとここに逃げ込む者もいるようだが、お咲が「泊めてくれ」と言ったのは初めてだ。しかも佐和が何かにつけてだらしがないことも承知している。

夫婦はちょうど夕餉の最中だったのだが、「まあ、上がりな」と手招きをしてくれた。

「今日は魚売りがいいのを持ってきてねえ」

それが秋刀魚であったのには参った。

お咲は身仕舞いを済ませてから表戸を開け、暖簾を出した。前に茶殻を撒いて箒を使う。

「ご免ください。こちら、鳩屋さんでしょうか」

声をかけられて振り向くと、「上野家の遣いにございます」と男が頭を下げた。

「お咲さんはおいででしょうか。手前どもの用人から文を託って参りました」

「大野様から」

こんなに早く文をくれるとは思いも寄らない。お咲は帳場に取って返して受け取りを書き、「よろしくお伝えください」と遣いの男に礼を告げた。

箒を壁に立て、暖簾の横に出してある縁台に腰を掛ける。

足許には五郎蔵が丹精している菊鉢が十も並んでいる。去年、庄助がくれたものを挿し芽で増やしてみたらしいが、それはうまく育たず、結局、近所の花好きの手をわずらわせたようだ。

「挿し芽なんぞ簡単かと思ったら、側芽を出させて天辺の芯を摘んでって、とんでもなく手間暇がかかりやがる。庄助はよくもこう辛気臭いことを、延々とやってたもんだ」

「そりゃ、お前さん、それが玄人というものさ」とお徳が言うと、五郎蔵は鼻息を吐いた。

「母親の介抱をしながらだぜ。菊もおきんさんも、どっちも気が抜けねぇじゃねえか。俺だったら、とっとと商売を替えらあ」

そういえば、ここの菊鉢はどれも貧相だとお咲は可笑しくなる。庄助の長屋で目にする品は茎葉にもっと勢いがあり、花の蕾もみっちりと花弁が詰まってまさに珠のごとくだ。

往来では近所の商家の荷車が慌ただしく行き交い、豆腐売りや納豆売りの声がそれに混じる。

手の中に気を戻し、束の間、迷ったが、やはり包みを開いた。五郎蔵とお徳は二人とも朝が遅いので、文に目を通してから飯の支度をしても間に合うだろう。

冒頭には先日の見舞いの礼が認(したた)めてあり、何文字か下げて「お松殿の件」とある。お松はやはり近所でも有名な女隠居で、容姿から振舞い、人づきあいもそれは華やかであったらしい。白翁のようにお松を聡明で気丈とする評もあれば、高慢で強引、鼻持ちならぬとの悪評もあるようだ。

でも、それは誰しもについて回ることだと思いながら、先に目を走らせた。

事が起きたのは三年前だと、書いてある。

遠縁の若い夫婦が、お松の夫婦養子に入る話が持ち上がった。世間にはよくある話で、身代(しんだい)を継がせる代わりに最期の看取りまでを託すのだ。

が、この話をお松は一緒に暮らしているお梅に、一言の相談もせずに進めたようだった。

若夫婦は三日にあげず、走り物の水菓子や名代の店の菓子など高価な土産を携えて屋敷を訪れ、お松の好きな芝居や相撲にも招いていたらしい。お松はそれが自慢の種で、昔の仲間にもそれは吹聴(ふいちょう)していたという。

妹のお梅は当初、姉が外出(そとで)をすれば躰を休められるので助かると思っていたらしい。

ところが夫婦は、ある日を境にふっつりと現れなくなった。事情を知らないお梅は不審に思い、姉に問いただした。

そして、お松が若夫婦に勧められるまま、無尽講に百三十両もの金子を預けていることが知れたのだ。大奥奉公で作った蓄えで隠居屋敷を建てたので、その残りが百三十両だった。毎月、一割近い利息が手に入ると聞かされ、ちょうど扶持の途切れたお松にとっては願ったりかなったりの話だった。一昔前は生涯いただけるはずの扶持も御公儀の仕組みが変わって、年数が限られるようになったらしかった。

お梅が若夫婦の家を訪ねてみれば別の者が住んでおり、行方は今も知れぬままだということ。幸い、お梅は小さな借家を亡くなった亭主から譲られていたので、その店賃で暮らしは何とか立てているようだ。

今の姉妹にとっては介抱料もかなりの負担であろうが、お梅は食べる物を始末してでも姉の面倒を誰かに委ねてしまいたいと考えた。これについては某の推測であると、大野は記している。

そしてお梅はそれほど、傷ついているのではないかと推していた。

文から顔を離し、朝空を見上げた。

お咲も同じように感じる。何の相談もなしに養子話を進められたら無理もない。しかもお梅の処遇についてはまったく考えに入れておらず、自分だけが養子夫婦と共に暮らす、そんな絵図を描いていたらしい。

己一人が埒外に置かれていたのだ。さんざん尽くした己を裏切った姉に話しかけるのも、顔を見るのも厭になっただろう。けれど世間体もある。今さら、姉を捨てられない。

うううんと唸って、目を閉じた。何かがひっかかって、腑に落ちない。

お梅の面差しが過ぎる。四日前に介抱に入った時も、お梅はいつもながらの落ち着きぶりだった。姉の意思を斥ける際もそれは静かな物言いで、穏やかな笑みを崩さない。

いや、違うと、目を開いた。

お松の意思を斥ける時こそ、微笑んでいる。もしかしたら、お梅は姉に意趣返しをしているのかもしれない。

姉様、あなたはかくも手ひどい裏切り方をした。でも血のつながった妹ですもの、あなたを捨てたりはいたしません。これまで通り草履を揃え、下のお世話もいたしましょう。私が辛くなったら他人を雇ってでも、看取って差し上げましょう。

その代わり、一切の我意は封じ込めさせていただきます。そのくらいはお堪えなさい。

垢じみた打掛の中にうずくまって、日がな、己のしたことを思い知るがいい。

「お咲」

飛び上がった。

「ご挨拶だな。そうもびっくりするか」

五郎蔵は房楊枝を使いながら、顎を突き出す。

「ははん、朝っぱらから付文か。隅に置けねえな、お前も」

「そんなんじゃありませんよ」

「わかってらぁ。色っぽい文ならもうちっと風情があんだろう。どうした、顔色悪いぞ」

「いろいろ思い浮かべちゃって。たぶん、あたしの考え過ぎだと思うけど」

「煎じ詰めるんじゃねぇぞ。そうそう、お徳が蜆売りの子供が通りかかったら呼び止めてくれって。十くらいの子だ」

「わかった」

文を畳み直して、縁台から立ち上がった。

五郎蔵は房楊枝を口にくわえたまま、菊に水やりを始めている。貧相ながらも思い思いに蕾を膨らませ、昨日よりも花弁が伸びたように見える。

やっぱり、庄助さんの菊を御前に観てもらいたいと思った。

一鉢分けてもらえないか、頼んでみよう。お代って、どのくらいなんだろう。見当もつかない。節季払いにしてくれないかな、いや、そんな無理を言ったらおぶんさんに叱られる。しまったな、日傘なんぞ買うんじゃなかった。

ふと、老いた姉妹の顔が胸に戻ってきた。

何とかやりくりをつけて、二鉢分けてもらおう。お松様とお梅様にも、変わり咲きを楽しんでもらいたい。三度も咲き方を変える菊を、共に眺めてもらおう。

あたしには、そんなことしかできない。姉妹の間に立ち入ることはできないのだ。それを見守るしかない。

「ちょっと用を思いついちゃった。うちに帰るわ」

「帰るって、このままか」

「急いてるから」

五郎蔵が身を屈めたまま、呆れ顔になった。

「出し抜けな奴だなあ、来る時も帰る時も」

「お徳さんにはまたちゃんと詫びるから。ともかく、ごめんなさい」

早足で行くと、天秤棒を肩に担いだ子供とすれ違った。笊の中には艶々とした蜆が山と盛られている。

「坊、あの家の女将さんが寄っとくれって。そう、おじちゃんが水をやってる、あの家。たくさん買っておもらい」

男の子の肩をぽんと叩いてから、朝の往来の中を駈けた。

狸寝入り

一

重箱の蓋を取ると、長火鉢の前に坐したお徳は「これはまた」と目を瞠った。

「艶々と、立派なお餅だね」

　重箱の中には緑の菊葉が敷かれ、白い肌に薄茶色の筋をつけた餅が並んでいる。猪の子、瓜坊の模様に見立ててあるらしい。

「今日、炉開きだったんだって。白翁をお招きなすって、そりゃあ話も弾んだみたいで、お松様もお梅様も上機嫌だった。菓子商に特別に誂えさせた玄猪餅だからって、こんなに分けてくだすったの」

　今日は十月初めの亥の日、玄猪の祝である。無病息災を願って、武家も町方も亥の子餅を食べる慣わしがある。

「うちも今朝、角の餅屋から届けてもらったけど、餅は餅でもえらい違いだ」

　お徳は重箱の中に鼻を突っ込むようにして、しきりと感心する。

「縁起物だから黙ってても飛ぶように売れるだろう、それを当て込んでさ、何日も前から搗いてんだよ。今年はまたひどかった。餅の中の柿が硬くなっちまって、舌触りが悪いの何の」

お咲が毎年、市中の振り売りから購う亥の子餅も大して旨いものではない。本来は大豆と小豆、大角豆、胡麻に栗、干柿、糖と七種の粉を入れて搗く餅であるらしいのだが、胡麻が申し訳程度にしか入っていない物も珍しくないのだ。

「さすが、元は大奥で奉公なすった御殿女中だけのことはあるねえ、餅まで違う。お前さん、お茶」

お徳は隣に坐っている亭主に指図した。

五郎蔵は急須を持つのが好きで、女房のお徳はもちろん鳩屋で奉公する女中らにも茶筒にさえ触れさせない。ところが今日に限って、腕を組んだまま動こうとしない。

「聞こえないの。お茶だよ。淹れとくれ」

五郎蔵は天井を睨みながら何やら思案している。

「お咲。炉開きって、あの、茶の湯のか」

「うん、そうと聞いたけど」

茶を嗜む人の間では、玄猪の日は風炉から地炉に変える大切な日でもあるらしい。

「なるほど」と鼻の穴を広げた五郎蔵は、ようやく腕を解いた。

「ちと、待ってろ」

やにわに腰を上げ、ばたばたと足音を立てて内暖簾の向こうへと消えた。

「何が、なるほどだい」

訊かれたが、わかるはずもない。

「さあ」

首を伸ばすと、台所から物音が聞こえてくる。餅を取り分ける小皿を探しているようだ。

「ははん、上等な餅だから張り切ってんだ。どうでもいいことには熱心だからねえ、あの人」

呆れ顔で、お徳は煙管を取り出す。俯いて刻みを火皿に詰め、火をつけて吸いつけた。

「御前はお変わりなかったかえ」

「ううん。ちょうど入れ替わりで、会えなかったんだよ」

「そうかい。けどまあ、ご隠居同士、行き来しなさるようになって何よりだ。互いに招き招かれて、いい気散じになる」

「ほんと。花は人の縁を取り持つなんて言うけど、あれ、ほんとだね」

たぶん、白翁の用人、大野の思案だったのだろう。秋も深まった先月、介抱先のお松の許にそれは見事な菊鉢が届いたのだ。

お咲も庄助に頼んで菊鉢を分けてもらおうと思いついた、その矢先だった。庄助が作っている菊はお咲がおいそれと購うことなどできぬ極上物で、とても一度に払える値ではない。あれこれと算段しながら長屋を覗いてみると、おぶんが留守番をしていた。

「庄助さんなら、品を納めに行ったよ。今は書き入れ時さね」

「ああ、そう」

拍子抜けしていると、おぶんがからかうような目をする。

「六日ぶりのご帰館だ」

また焼秋刀魚の臭いを思い出して、息を詰めた。

「おっ母さん、荒れてたでしょ」

「どうだろ。あたしもこのところ、顔を合わせてないね」

とぼけられた。

路地に出て奥の油障子を引いて中に入ると、しばらく風を入れていないのか、本当に魚臭かった。しんとしている。

中に上がると、畳の上は足の踏み場もない。手拭いや小鉢、竹皮包みを拾いながら枕屏風の向こうに辿り着けば、蒲団もだらしなく寄せられたままで、着物や帯が散乱している。その上に猫のぽちが、牢名主(ろうなぬし)のごとく坐っていた。

「泥棒も入る気が失せるわ」

思わず溜息を吐くと、ぽちは面倒そうに片目を開け、ぶうと伸びをして起き上がる。たちまち蒲団から下りて、その拍子に帯が滑り落ちた。

ぽちは縁側から出て行ったのか、裏庭伝いに鳴き声が聞こえる。

「おきんさん、たまがおいでなすったよ。たま、お腹すいてないかい。よおし、よしよし、今、鰹節を削ってやろう」

おぶんも猫にはこんな甘ったるい声を出すのだと、少し鼻白んだ。

佐和が帰ってきたのはその日の夜で、お咲はもう床に入っていた。まだ寝入ってはいなかったけれど、寝たふりを決め込んだ。

そして翌朝、本所の隠居屋敷に介抱に出向けば、白翁から菊が届いたのだ。

白翁が手ずから育てた菊は庄助が作るような「変わり咲き」ではなかったが、一本の菊から三本の枝が出て各々に純白の丸い花がついている。

「懐かしい。三本仕立て」

お松とお梅は二人揃って、目を輝かせた。

「憶えてる、姉様。おっ父さんがよく作ってなすったでしょう。こういう菊」

「そうそう。懸崖作りやこんな仕立てに凝って、幼い時分は水やりから鉢回しまで、よく手伝わされたものだよ」

「姉様が御殿にお上がりになってからは、それはあたしの役目になりましたよ」

すると、お松が「ふふ」と笑った。

「お鉢が回ったんだ」

陽溜まりの広縁に菊鉢を挟んで坐し、二人はいつのまにか町方のように捌けた口をきいていた。

お咲は二人を見つめる。

姉にないがしろにされたお梅は姉を見捨てることなく、世話を続けることにした。ただし姉の意思を一切、汲まず、ほんの束の間の愉しみも許さない。そしてお松も、重い打掛を纏ったまま生気のない目をしてうずくまっていた。かつて美貌と聡明さで知られた御殿女中は、常に妹の意を窺うだけの老婆に成り果てている。

けれど今、姉妹は菊鉢を眺めながら、幼い頃や若い時分の話をしている。

「ほんに、あたしはいつも姉様のお下がりばかりで。着物もお人形も。おっ母さんなんて、姉様のお稽古につきっきりで、あたしなんぞ乳母の膝しか憶えていませんよ」

「そうだったのかえ」

「そうですよ。姉様はいつだってご自分のことに夢中で、妹になんぞ構ってやしなかったでしょうけれど」

「そりゃ夢中にもなるさ。何が何でも御殿奉公できる娘にならなきゃって、必死だったのだよ。生まれてからずっと、親にそう言い聞かされて育ったんだから」

そこでお松は菊を見つめ、呟くように言った。

「私はね、気楽そうなお前が羨ましかったものだ」

お梅も姉に目をやることはなく、菊を見ながら「そう」とだけ返した。

お咲にはきょうだいがいないので、姉妹のやりとりはよくわからない。だが厭な想い出も歳月に洗われて、また異なる風景を見せるのかもしれない。

「そういえば、姉様。文が添えられておりましたよ」

お梅は膝の上に置いたままになっていた文を開いた。

「おや。菊見へのお招き、ですか」

急に冷たい声になって文を巻き直す。するとお松が重たげに袖を動かし、手を差し出した。

「お梅」

「何です」

「見せよ。白翁は、わらわの見知りぞ」

「お出かけなど、姉様には無理でござりましょう」

「お断り申すにしても、わらわが文を書く。白翁に代筆の文をお返ししては無礼だ」

いつになく、有無を言わせぬ口調だ。お梅は頰を強張らせていたが、ややあって根負けしたかのように、文を渡した。

「お咲、読め」

お松に命じられ、お咲はまた文を開いた。

――互いに隠居屋敷を構える身になったのも、何かの縁でござろう。秋菊を眺めながら、一献差し上げたい。

白翁の隠居屋敷は向島の白髭神社のそば、そしてお松たち姉妹も柳島村の萩寺の近くに住んでいる。

お松は「ほう」と、声を上ずらせた。白塗りの顔の方々が動き、目尻を下げている。滅多とない、しかも己が最も華やかだった頃を知る御仁からの招きなのだ。

「わらわもこのところ、至って具合がよい」

お松は妹に投げかけてみるがお梅は顔をそむけ、目を合せようとしない。

「のう、お咲」と、お松は口添えをせよとばかりに顎をしゃくる。「はい」と、お咲はお梅に顔を向けた。

「駕籠をお使いになれば、お松様にもお疲れの出ない道のりだと存じます」

「年寄りには駕籠もこたえる。介抱人のくせに、さようなことも知りませぬのか」と、お梅はにべもない。

お松が形相を変えた。

「お梅、そなたというおなごは」

口許を歪め、わななかせている。

お咲は膝を前に進め、お梅の横顔に目を据えた。それでもお梅は取り合わない。

「白翁は、呆けの症が出ておられるんです」

「呆けとは……かように見事な菊を作られておるのに」

「はい。徐々に我を失い、やがてはご自身がお旗本であったことも、前の公方様にことのほか重用されて、大奥のお女中らからのご信頼が厚かったこともお忘れになってしま介抱人は本来、介抱した年寄りの症を他所で話すことは許されない。それがいかなる噂になって市中を巡るかわからぬからで、しかも白翁の上野家には誓文まで入れている。それがいかなる
お咲としては一か八かの気持ちだ。

「忘れる方が倖せということもありましょう」

お梅は含みのある言いようをする。が、もう後には引けない。

「己が誰であるかを失うということは、身近な人々とのかかわりも忘れるということです。ご用人の大野様は自ら御前の介抱をしておられますが、もう時折、大野様のこともおわかりにならぬご様子で」

「ご用人が介抱をしておられるのですか」

そう呟いたなりお梅は、広縁に置いた菊鉢を見た。いや、その前に坐る姉の姿を見たのかもしれない。お松はいつのまにか絹の袱紗を手にし、葉の一枚一枚をゆっくりと拭いている。先刻の怒りを抑えて無心を装っているが、妹の一言一言に耳をそばだてているはずだ。

お梅はしばらく黙した後、「お咲」と言った。

「硯と筆をご用意なさい。姉様が文を書かれます」

お松は手を止め、妹を見返った。真意をはかりかねているのか、また眉根を寄せている。

「お好きに書かれませ。いかようにでも」


白翁とお松は、互いに涙を滲ませて再会を歓んだ。

「妹御と共にお住まいとは、お松殿は果報者じゃの」

「ほんに。御殿と町方は風儀が異なるゆえ、きょうだいには何かと煙たがられる者が多うございますする。わらわのように妹に世話になれる者など、滅多とおりますまい」

お梅は最初は伏し目がちで口が重かったが、大野がふだんの苦労をねぎらうと、遠慮がちに「恐れ入ります」と答えた。

昼餉のもてなしの後、白翁とお松は互いに杖をついて庭に出た。お梅と大野、お咲は広縁に坐り、二人を見守る。庭が陽射しを受け、菊の香りが深まってゆく。

「久しぶりにございます。こんな午下がり」

お梅がしみじみと言った。築山からか、秋虫のすだく声も聞こえる。

「当家の庭も、手を入れさせることにいたしましょう。茶室も綺麗にして。姉様にお茶を点ててもらおうか。ねえ、お咲」

黙って頭を下げた。

大野が微かな気配を立てた。庭にまた目をやっている。たちまち叫び声が響いた。

「わらわを何と心得おる。お嬢様と呼ばぬか」

誰よりも先に庭に下りたのは、お梅だった。足袋裸足で姉に駈け寄り、姉を庇うように白翁に対峙している。

しかしお松はまるで動じることなく、「良いのじゃ」とお梅の腕に手を置き、杖を遣いながらその前に進み出た。

「お嬢様、今日は何でお遊びいたしましょう」

お松はゆっくりと小袖の裾を払い、そして白翁に小腰を屈めて訊ねた。

「今日は暖こうございますので、おままごとなどいかが」

「おままごと」

「花を摘んで、葉っぱをお皿にして」と、お松はさりげなく庭を見回す。

「誰か、緋毛氈を持て」

大野が「はッ」と応え、背後に控えている者に小声で命じている。やがてお松は杖をつきながら、歌うように白翁を導いた。

「金木犀は粟のごとし、白菊の花びらはお魚のごとしにござります」

すると白翁の顔に童女のような笑みが浮かぶ。

「わらわが摘む」

「ええ、摘んで集めてくだされ。皆に馳走してやりましょう」

お松は生き生きと声を上げた。ここがまるで大奥のお庭であるかのように。

お梅が広縁に戻ってきて、大野は頭を下げた。

「有難きお心遣い、御礼の言葉もありませぬ」

するとお梅は「いいえ」と目尻に皺を寄せた。

「姉のあのような姿を久しぶりに見られて、こちらこそ有難きことにござりまする」

そして今日、お咲は朋輩にお松の介抱を引き継いだ。

お梅と率直に話し合い、二日に一度、夜だけの通い仕事と決めた。お咲が泊まり込むよりは遥かに介抱料が安いので、お梅の負担も軽くなる。

そしてお梅は、ずっしりと重い重箱をお咲に持たせてくれた。

――たんとお上がりなさい。介抱人が無病息災でなくては、皆が困りますからね。

火鉢に掛かった鉄瓶の湯が滾ってか、くしゃみのような音を立てた。

お徳が後ろを振り返り、内暖簾の向こうを窺うように首だけを伸ばす。

「あの人、何やってんだろう。台所に入ったまんま、出てきやしない」

「見てこようか」

腰を上げかけると、お徳が「いいよ」と止める。

「お前さん、お茶、どうなってんの。あたしら、もう咽喉がからからだよ。淹れてくんないんなら、お咲に淹れさせるよ。いいんだね」

ようやく足音がして、内暖簾が動いた。

「どうしたの、羽織なんぞつけて」

しかも両手に何やら、いろいろな物を抱えている。

「何のつもりだえ。丼と柄杓なんか持って」

お徳が眉根を寄せて見上げたが、五郎蔵は火鉢の脇に腰を下ろし、持ってきた物を尻の脇に並べている。

「道具だ」

「道具って、何の」

しかし五郎蔵はお徳に取り合わぬまま正坐し、首に掛けた手拭いをすいと引いた。膝の上で折り畳んで、まるで袱紗を捌くような手つきだ。

「いい按配に、釜鳴りしてるじゃねぇか。松風のごとしってか」

「釜って、何のことさ。まさかその歳で呆けちまったの」

「静かにしねぇか。茶の湯は静寂に専一するもんだ」

五郎蔵は丼に直に茶葉を放り込み、おもむろに鉄瓶の蓋を外している。水甕で用いている大きな柄杓を無理やり突っ込んで、湯を汲み出した。炭の上に滴が洩れ、灰が立つ。

お徳は「や」とのけぞり、掌で鼻の前を扇ぐ。

「茶の湯って、そんな風流、一度だってしたことないだろうに。ねえ、上等の餅に合わせなくったって、いつものお茶でいいんだけどね、お前さん」

しかし五郎蔵は神妙な面持ちで丼に湯を注いでいる。

二人で肩をすくめ、眉を下げた。

「とんだ酔狂だ」

「あたしが炉開きとか口にしたからだね」

「いやさ、このあいだ、杵屋さんとばったり、湯屋で会ったんだって」

杵屋は通油町の貸本屋で、主の佐分郎太は『介抱指南』を出板したいと考え、お咲と共に介抱先に入ったこともある。

「そういや、お正月に出すって言ってなかったっけ。あれ、どうなってんの」

「そう、それだよ。この人もそれを訊ねたかったらしいんだが、杵屋さんってのはあれこれ何にでも手を出したいお人みたいでさ。近頃、茶の湯の稽古を始めたって、少々自慢げに胸を張りなすったらしいのよ。したらこの人、あたしも茶については人後に落ちやせんぜとか何とか、負けん気を出したんだろう。火鉢の前で急須持ってるだけのくせにさあ、どうにも話が嚙み合わねぇって、うちに帰ってからも口惜しそうに。たぶんあれから、方々に聞いて回ってたんじゃないの」

お徳が悪しざまに言おうが五郎蔵は真剣そのもので、左手で丼を押さえながら右手に妙な物を持った。藁を束ねた束子で手首をぐりぐりと回しながら、茶葉と湯を掻き混ぜ始める。

「ちょいと、それ、水場で使う奴」

「案ずるな、新品だ」

五郎蔵はまるで動じない。火がついたのは、お咲の尻だ。

「あたし、もう帰るわ。お菜やらお豆腐やら、買物しないと」

「亥の子餅、どうすんのさ。無病息災」

「あたし、何年も風邪一つひかないし。皆で食べて」

すると五郎蔵は手首を回しながら、「待て」と言った。

「お点前の最中に席を立つとは、無礼千万」

物言いまで妙になっている。

「お疲れさまでした」

猪のごとき勢いで土間に下り、外に出た。

二

木々が葉を落とし、朝の道には霜が立つ季節になった。

お咲はいつものように鳩屋に寄ってから菊坂台町の長屋に帰り、手早く着替えを済ませて台所の板間に坐る。

飯櫃の蓋を開けると、底に半口ほども残っていない。

「おっ母さん、たったこれだけ残して」

櫃の内側にこびりついた飯粒は硬くなっている。お咲は杓文字でこそげ落としながら、佐和を睨みつけた。

「あたし、泊まり込みで働いてきてんだよ。今さらおっ母さんにお菜拵えをしてほしいなんて望まないけど、せめて残り飯を茶碗に移しといてやろう、飯櫃を洗っといてやろうってぇ気持ちにならないの」

佐和は角火鉢の端に両肘をついたまま白々とお咲を見返していたが、つと目をそらし、ふわあと欠伸を洩らす。

「帰るなり、けんけんと騒々しい子だね」

「何よ、居直るの」

今さら咎め立てするのも馬鹿馬鹿しいとあきらめをつけていたのに、今日はいきなり腹が煮え、頬までかっと熱くなるのがわかった。このひと月の間、越前屋という紺屋で奉公しているのだが介抱する相手は隠居ではなく、まだ三十になったばかりの当主なのだ。

真面目一筋で稼業に励んできたのに、昨年、胃の腑に不調を来たして寝ついたという。医者は「しこりがある」と診立てたが、やがて匙を投げたようだった。親夫婦と女房は加持祈禱にも縋ったが、まもなく痩せ衰え、枕から頭が上がらなくなった。そして鳩屋に依頼があったのである。

親はまだ六十代、女房はお咲と同い年の二十六だ。身内の心中を察すれば胸に迫るものがあって、幼い子らが障子の陰から父親を覗き見ている場になど出くわすと、思わず鼻の奥がつんとする。それを懸命にこらえ、努めて冷静に振舞っている。

あたしは介抱の玄人なんだから。

お咲は己の手を信じていた。この両手でできることを精一杯、尽くすのみだ。それ以上のことは、介抱人の本分を越える。

そうやって気を張り詰めているからか、こうして家に帰れば手脚がどっぷりと重い。薬湯の臭いと共に介抱先の切なさや無念までが総身に沁みて、佐和への抑えが利かなくなる。

佐和は口の端を下げ、ぽちを膝の上に抱き上げた。俯いて「ねえ」と、指で咽喉を撫でてやっている。

「外で働いてるのがどれだけ偉いのか知らないけどさ。母親に八つ当たりするなんて、とんでもない料簡違いだ。今に罰が当たる」

額の生え際と鼻梁の美しさが目に入って、また胸が悪くなった。

「じゃあ、おっ母さんが借金を返せばいい」

亡くなった舅、仁左衛門から佐和が金子を毟っていたせいで、お咲は稼ぎのいい介抱仕事を始めたのだ。この四年半、返済のために働き通しに働いてきた。

元の亭主、仙太郎に今年の師走こそは綺麗に返してしまいたいと心組んでいたが、佐和はまったくやりくりに頓着しない性質だ。お咲がこつこつと貯めた銭袋に手をつけて白粉や小間物を買うので、うかつに家の中にも置いておけず、今は鳩屋のお徳に銭袋を預けている。

「借金って何さ」

「よくもそんな、空々しい。あたしの知らない間に、お義父さんから都合をつけてもらったでしょう」

杓文字を櫃の中に、叩き落とした。

「ああ、あれは仁左衛門さんがくれたものさ。借りたんじゃない」

もう幾度も同じやりとりをして、そのつど心底、厭な思いをしてきた。もう二度と口にすまいと心に決めていたはずなのに、怒りが噴き出した。

「仁左衛門さんだなんて、気安く呼ばないで」

たしかに仁左衛門は「あれは貸したんじゃない、佐和さんに差し上げたものだ」と言った。だがそのせいで、お咲は姑に其者呼ばわりされたのだ。穢れたものを見るような目で蔑まれた。

「その櫛、また買ったの」

佐和の頭に、見慣れぬ櫛が横差しになっている。

「ああ、これ。違うよ。あの人がくれたのさ。ねえ、お咲。またお前に会いたいって言ってなさるんだけど、今晩、いいだろ」

上目遣いで、鼻にかかった声を出す。

「あたしがくたくたなの、見りゃ、わかるでしょ」

「けど、約束しちまったんだよ」

「おっ母さんが一人で行きゃあ、いい。どうせあたしが留守の間、好きにしてるくせに。そのまますっさと妾宅を構えてもらって、移ったら。あたしも肩の荷が下りる」

そうだ、おっ母さんと離れられたら清々すると、本気で思う。

この母親と一緒にいて、いいことなんぞ何も無かった。何ひとつ。

「今度は妾奉公じゃない。あの人は女房を亡くしてからこっち、ずっと独り身を通してるんだよ。私を後添えにして、むろんお前も一緒にって言ってくれてる。女中奉公なんぞさせとくには忍びない、だからお前にきっちり筋を通して正真の親子になりたいって。娘を持てるなんて有難いって言いなさるんだよ。お前もわかるだろ、これまでの旦那とは大違いなんだ。ねえ、お咲。私も年が明けたら四十三になっちまうんだ。いくら若く見られるったって、あれほどの人にはもう二度と出会えない。だからさ、今晩、つきあっとくれよ。ちっと顔を見せてくれるだけでいいんだから」

口を開けば、あの男のことを「いい人だ」と言う。それがお咲を苛立たせる。

誰が相手でも、最初はいつも「いい人だ」って言うじゃないの。「いい人」だなんて大雑把過ぎないか。

なのに佐和は、お咲にそれを認めさせたがる。そのくせ相手との仲がうまく行かなくなると、しかもそれは佐和のあまりのだらしのなさに愛想尽かしをされるのに、「いけ好かない男だ、けちな男だ」とこき下ろす。

何でも他人のせいで、都合が悪くなればその場限りの嘘をつくのだ。そんな佐和が今度の旦那とだけはうまくやっていけるとは、とても思えない。佐和が何かをしでかしたらと想像するだけで、ぞっとする。

「女中奉公の何が悪いの。忍びないなんて、女中を見下げるにもほどがある」

するとと、佐和は美しい眉間をしわめた。

「お前。ただの女中じゃないんだって」

目の中に探るような光がある。

「年寄りの介抱、してるそうじゃないか」

そう、そんな目をするとわかっていたから、黙っていたのだ。年寄りが嫌いな佐和に正直に話せば、また厭なことを耳にすることになる。

「あの旦那、もしかしてあたしのこと調べたの」

怒りで声が震えた。

「襁褓(むつき)を洗ったり、躰を拭いたりするんだって」

「そうよ。誰かさんは妾奉公しかできない女だろうけど、あたしは真っ当な躰の使い方をしてる」

佐和の眦(まなじり)が吊り上がった。袖から白い肘が見えたかと思うと、何かが飛んできて頬を打つ。

膝の際に櫛が落ちた。

十一月も半ばになって、日本橋の通りを行き過ぎる者も皆、首をすくめて足早だ。

お咲は越前屋で介抱を終え、鳩屋に戻った。いつもは朝のうちに引き上げるのだが取り込みがあって、もう昼八ツを過ぎている。

「お帰り。おつかれさん」

　火鉢の前に五郎蔵とお徳、そしておぶんが坐っている。

「お咲、おぶんさんが焼芋を持ってきてくだすったんだよ。まだ熱々だ」

「ついてる。今日は朝餉を食べそこねちゃって」

　さっそく五郎蔵が茶を、それも尋常な茶を淹れてくれた。あれからお徳にこっぴどくやられたようで、急須持ちに徹している。

「川越芋（かわごえ）だって」

　差し出された皿の上には、厚く切られた黄金色（こがね）が二枚のっている。さっそく口に入れる。

「さすが本場（ほんば）。ねっとりして甘いわ」

　焼芋は丸ごと壺の中で蒸し焼きにした壺焼きもあるが、お咲が好きなのはこの厚切りを釜で焼いて塩と胡麻を振りかけたものだ。

「食べそこねたって、越前屋さん、相当、お悪いのかえ」

　お徳に訊かれた。

　今朝、越前屋はまた血を吐いた。もしかしたら年を越せないかもしれない弱り方で、女房と親夫婦もようやく覚悟を決めたようだ。けれど芋を食べながら口にする話ではないと思い、お咲はただうなずいた。

「おぶんさん、今日も庄助さんちに行ってくれてたの」と、話を変える。

「ああ。その帰りさ」

「このところしばらく寄れていないけど、おきんさんの具合はどう」

「よく頑張ってなさるよ。息がまた細くなって、重湯を三口ほど入れるのがやっとだけどね」

芋を咀嚼しながら目を落とし、「そう」と呟いた。

「そういや、さっきまでおのぶがいたんだよ」

お徳が場を盛り立てるような、明るい口調を使った。おのぶは今、柳島村のお松の介抱に通っている朋輩だ。

「どんな様子か、何か言ってた、お松様のこと。このところ冷えるから、調子を崩してなけりゃいいけど」

「それがさあ」とお徳は手招きをしながら笑い、おぶんに「ねえ」と言った。

「派手な褞袍を着込んでなさるんだって」

「お松様が褞袍って、嘘。信じられない」

「姉妹二人ともだってさ。座敷に炬燵を置いて、二人でぬくぬくと膝を入れてなさるそうだよ。それがなかなかの貫禄で、蜜柑を剝いたり双六や花札で遊んだりして。で、そのうち子供時分のあれこれを引っ張り出して互いをつつき合うんだって。姉様は親から猫可愛がりされて依怙贔屓がきつかったとか、お梅こそうまく立ち回ってたじゃないかとか」

「姉妹喧嘩してるの」

褞袍を着込んだ老婆二人が何十年も昔のことを種にして、あれこれとやり合っている様子が目に浮かぶ。

「いや、そこが年寄りさ」と、おぶんが茶を啜った。

「一方があれこれと言い立ててる間、もう一方は目を閉じて狸寝入りをしなさるらしい」

「狸寝入り」

芋を噴きそうになって、慌てて手の甲を口許に当てた。

「狸寝入りってのは、便利だよ。あたしも倅夫婦とうまく行かない時、その手を使う」

自慢げに口にする当人が少々、狸に似ている肥え方であるので、お咲は笑いを嚙み殺さねばならない。

「生きていれば厭でも、誰かと真っ向からぶつかり合わなきゃならない正念場ってのがある。互いの傷になるのを覚悟して、それでも向き合わなきゃいけない時がさ。けど、それは生涯に何度もあるもんじゃないと、この歳まで生きて思うようになったよ。たいていのことはまず狸寝入りをして、それからでも間に合うものさ」

ぽんと腹を叩いたので、五郎蔵が先に笑い出した。お徳もつられたように肩を揺らしながら、「それができるようになるまで、なかなか年季が要るんだけど」と言い添える。

お松様は垢じみた打掛を脱ぎ、白塗りの化粧も捨てて、やっと妹に対するやましさ、申し訳の無さから脱け出したのだろう。そしてお梅も、顔に張りつかせていた微笑を脱ぎ捨てた。

老姉妹は今ようやく二人の暮らしを作り始めたのだと思うと、越前屋で始末した血塗れの手拭いの臭いが少し薄まったような気がした。

それから江戸三座の顔見世狂言へと話が移ったが、ふいにお徳が己の頬骨の辺りを指差した。

「お咲、やっと目立たなくなったじゃないか」

何気ない言いようだが、これまで知ってて知らぬ振りを通してくれていたのに、藪から棒だ。また、芋が咽喉につかえて噎せる。五郎蔵が茶を寄越してくれる。

「おぶんさん、お咲ってばしばらく人相が悪かったんだよ。こんなとこを蒼くしちゃって。あれ、ちょっと切れてたろう」

佐和は櫛を力まかせに投げつけたらしく、櫛の角が頬骨に当たったのだった。

「おっ母さんと喧嘩しちまって」

「そうなのかい」

お徳は察しをつけていたはずで、ゆえにこれまで何も訊かなかったはずなのに、わざとらしく目を丸くした。

「おおかた、三光の旦那がらみなんだろう。あんたさ、もう、いい加減、許してあげなよ」

「許すも許さないも、どうぞお好きにって何度も言ったよ」

お徳は煙管を持ち上げて、大げさな溜息を吐く。

「佐和さんのこととなると、ほんに依怙地だねえ」

「依怙地だったら一緒に暮らしてないよ。あんなおっ母さん、とうに見捨ててる」

「じゃあ、あんた、いったい、どうしたいの」

そう問われると言葉に詰まる。実際、佐和と面と向き合うのが厭で、長屋に帰るのが鬱陶しくて、何度も鳩屋に泊めてもらおうかと思ったのだ。あれから佐和とはまったく口をきいておらず、佐和も目も合わせてこない。

諍いを起こせばいつもそうなって、やがていつともなしにまた口をきくようになるのが常だ。けれど今度ばかりは、長い。

「あたしじゃないでしょ。勝手にぐずぐずしてるのは、あっちなんだから。あの旦那、筋を通したいとか何とか言い張って。そんなの、好きにすればいいのに。あたしには、かかわりがない」

するとおぶんが、「お咲、かかわりがないとは口が過ぎる」と声を低めた。

「けど」

「いいからお聞き。三光の旦那はもちろん、亡くなったお女房さんって人も、そりゃあ気風の良さで知られたお人だったよ。三光の旦那は女遊びが激しくてねえ。けどお女房さんが寝ついた時、すべての女ときっぱり手ぇ切って、最期を看取りなすった」

「おぶんさん、何でそんなこと。もしかして見知りなの」

「いや、あっちは魚河岸、こっちは干鰯問屋だからね、商いが違う。けどまあ、有名な人だから、あたしの知り合いは何人も長いつきあいがあるよ。決して後ろ暗いところの無いお人だ。それは皆が認めてる」

「そんな大したお人が何で、うちのおっ母さんなんか。気が知れない」

口の端が下がる。するとお徳が煙を吐きながら、もっともらしい顔をした。

「遊び慣れた男ってのは、厄介な女に手出しをしたいんだろうよ」

「そうなのか」と、五郎蔵が小膝を打った。

「いや、俺も不思議だと思ってたのよ。佐和さんはそりゃあ、男だったら誰もが振り返るような別嬪だけどよ。そんなの、三日で飽きるじゃねぇか。女は器量じゃねえ。なあ、お徳」

と、「痛っ」と半身を反らせた。お徳にまた尻をつねられたらしい。

「せっかく褒めてやったのに何しやがる」

「どこが褒めてんだよ。馬鹿っ」

おぶんは二人に構わず躰を揺らし、お咲に膝を向けた。「それに」と声を潜める。

「三光の旦那は何となく、あんたの肚の底が見えている。佐和さんに対する気持ちがね。だから、何度でもあんたに会おうとしてるんだろう」

判じ物みたいな言いようで、よくわからない。もう腹一杯で、げっぷが出そうだ。

五郎蔵が「ん」と首を横に倒した。膝立ちになり、暖簾の向こうを見ている。

振り返ると、二本差しの男が入ってきた。

白翁の用人、大野だ。

三

菊坂台町への道を、大野と二人で歩く。

大野は日本橋に用があって出てきていたようで、鳩屋の暖簾を通りで見かけ、思い立って訪ねたと言った。

お咲がいなければ文をここで書いて預けるつもりだったようで、白翁の用人だと紹介すると、お徳はぼうと見惚れ、五郎蔵は慌てて茶を淹れ、おぶんは堂々と焼芋を勧めた。

大野がお咲に用があって立ち寄ったことは察しがついたので奥の居間を借りようとしたが、大野は小声で「外に出られぬか」と言う。おぶんが「そろそろ帰る時分だ」と腰を上げたので、それをきっかけにして一緒に通りに出た。が、お咲ももう家に帰らないと日が暮れてしまう。結句、大野がお咲の帰り道に同道することになった。

「じつは、考えあぐねておる」

「御前の症ですか」

「いや」と大野は頭を振り、しばらく黙ったまま歩を進める。お咲も先を促さず、ただ歩く。ややあって、大野が思い切ったように口を開いた。

「某が介抱申し上げているのを、とやかく申す者がおっての。看取らせていただけぬかもしれぬ」

「そんな。何ゆえです」

大野が言うには、上野家の当主ではなく家臣である大野が介抱していることを、縁者や周囲の者が頓着し始めたらしい。白翁に実子はおらず、今の当主は遠縁から養子に入っているはずだ。

「某は主君への忠を褒められるが、口さがない者は殿を孝に悖ると非難しておるようでの」

つまり当主は「大野によって不面目を被った」と捉え、立腹しているらしい。

「本来であれば某が身を引くのが筋であるが、御前と殿は昔から反りが合わぬ。まして、呆けの症を目の当たりにされたことは、まだござらぬのだ」

おそらく己がいなくなった後、白翁がいかなる扱いを受けるかが案じられてならぬのだろうと、大野の横顔を見上げた。夕間暮れのせいなのか、彫りの深い顔に翳が落ちている。

「御前は、どう仰せなのですか」

「大野に看取ってもらうと、殿に明言された。面目に拘泥いたした孝など、無用じゃと」

お咲は歩きながら、懐の銀の猫に手を当てる。

白翁と仁左衛門は何となく面貌も似ていて、つい思い出す。

大野は「ところが」と声を低くした。

「その御前の言が、幕臣の間に洩れての。忠と孝の争いに見立てて、成行を窺う者らが出てきている。早晩、御目付の耳にも入ろう。武士の道理に背くと見做されれば、それこそ家の面目が立たぬ」

お咲には難し過ぎて、出るのは溜息ばかりだ。

「そしてもう一つ、迷う理由がある。もしかしたら、殿が自ら御前の看取りをされることで、真の親子になられるかもしれぬ。某が最期までお仕えするのが御前にとって最も倖せだと考えるのは、某の傲慢ではないかと」

大野はそれきり黙して、歩くだけだ。

「あたしじゃ、相談のし甲斐もありませんね。申し訳ありません」

詫びると、大野は「いや」と言った。

「その方に何を相談したかったのか、己でも考えがまとまらぬのだ」

「ただ」と、お咲は口にしてから大野を振り仰いだ。

「忠や孝や真の親子なんてものを突き詰めたら、考えが行き詰まるのは当たり前のような気がいたします。そんなの、束の間の幻じゃありませんか」

「忠孝を、幻と申すか」

大野が足を止め、お咲を見下ろした。

「それは、聞き捨てならぬ」

片眉を上げ、頬を強張らせている。

「じゃあ、何で悶着(もんちゃく)が起きているんです。忠孝も真の親子も、人によってそれぞれ、考えが異なるからではないのですか。ってことは、幻みたいに頼りないものです。そんな不確かなものを目指すより、上野の殿様が御前の介抱をなさってそれを大野様がお助けする。そういう形をお取りになれる方法に知恵をお使いになれば良いのではありませんか。その方がよほど、手っ取り早(ばよ)うございます」

大野はじっとお咲を見返した。

「相変わらず、耳の痛いことを申す女だ」

「それが聞きたくて、訪ねてみえたんでしょうに」

「小癪(こしゃく)な」

そして大野はいきなり「帰る」と言い、踵(きびす)を返した。

お咲はその後ろ姿に向かって立ち、口許に両の掌を立てる。

「お礼は要りませんから」

大野は振り返りもせずに、右手だけを上げた。

お武家のくせに礼儀知らずなんだから。

半ば呆れながら見送って、自身も身を返した。坂道を上る。

夕空に寺々の入相の鐘が響いて、眼下の家並みを見下ろした。煮炊きの煙が細くたなびいている。おっ母さん、お腹空かせて待ってるだろうなと思うと急に気が急いて、足を早めた。

やだ、あたし。もう飽くほど厭だ、うんざりだと思ってるのに、何でこんなことを思うんだろう。

冬の夕暮は肌寒くて、人恋しくなっているだけだ。そう紛らわせながら、長い間、思い出すことのなかった姿が浮かんだ。

幼い頃の己の姿である。不思議なことに、まるで傍から見ていたような景色だ。

お咲の許に、佐和は盆と正月にだけ訪れた。あまりの華やかさに近寄りがたくて、いつも養い親の背中に隠れて盗み見ていた。

でもいつからだろう、あたしはおっ母さんが来てくれるのを心待ちにするようになった。

近所の子らの親よりも遥かに歳を取っている両親が実の親ではなく、菩薩のごとく美しいひとが母親であることに内心、ほっとして誇らしくもあった。二晩ほど共に過ごしても、佐和はお咲を膝の上に抱いてくれるわけではない。長屋の子には不釣り合いなほど豪勢な人形や髪飾りをくれるだけで素っ気ないほど冷たかったけれど、見送った後は恋しくて、いつまでもこんな夕空の下にいた。

ああ、何でこんなこと思い出すかなあと、鼻を鳴らす。

子供時分の己の姿を思い浮かべるだけで、なぜか胸の裡が引き絞られるのだ。それが厭だ。

淋しい子供だったわけではない。養父母はいわば女主人に押しつけられた格好の子供を、懸命に育ててくれた。今となればあの二人にこそ孝養を尽くしたいと願う。けれどもう、十年も前に相次いで亡くなっている。

お義父さんといい、あのお父っつぁん、おっ母さんといい、あたしを心から慈しんでくれた人は皆、この世にいない。それが口惜しい。

懐に手を当て、銀の猫の根付に呟いた。

お義父さん。

その後が続かない。舅の前にいた自分や介抱先で働いている自分が、まるで幻のように心許なく思えてくるのだ。

本当のあたしは、実の母親と何もかもが嚙み合わない。すぐに苛立ち、依怙地になり、傷つけ合う。

お義父さん。御前、ご隠居さんたち。

介抱してきた人々の顔を思い浮かべると、鼻の奥がつんとしてくる。

どうです。あたしは本当は、こんな情けない人間なんです。やな奴なんです。

いつのまにか泣けてきた。懐に当てた手を丸め、拳を鼻の下に置く。

あたしもでんと構えて、狸寝入りができればいいのに。

おっ母さんや三光の旦那のことなど悠々と聞き流せたら、どんなにか楽だろうに。
ぽんと腹を叩いてみたけれど、おぶんのそれとは似ても似つかぬ、頼りない音だった。

今朝の春

一

晴れ上がった江戸の空で、桃太郎と金太郎が盛んに競り合っている。

お咲は時々、爪先立ちになって、そのゆくえを見守っていた。介抱先からの帰り道、子供らの歓声に惹かれてつい大川堤で足を止め、夢中になってしまったのだ。

松飾りが取れた市中は正月を祝う気分も少し落ち着いていたが、若草の生い始めた斜面のそこかしこに見物人が群れている。中には「ちょいと貸しな」と子供から糸巻を奪い、川風に向かって走る大人もいる。

「天晴れ、桃太郎」

「何言ってやがる。桃太郎は家来が頑張るだけだろう、いっち強ぇのは金太郎だ」

方々でそんなやりとりをして、初春の堤は賑やかだ。

今度は東の空に唐獅子が現れ、鼻面を天に向けて突き進む猪の絵柄もある。今年、天保十年は己亥なので、干支にちなんだ縁起物であるようだ。中には大入などと文字だけを大書して、商売繁盛を願う字凧もある。

職人らしき二人づれがお咲の斜め下に立ってさっきから騒いでいるのだが、片方が眉の上に掌をかざし、「おい」と斜め上の空を指差した。

「あの字凧、見なよ。何て書いてある」

「おうじょう……くん」

憶えのある文言にお咲は顔を動かし、指先の向こうを目で追った。

え、どこ。

しばらく探して、ひときわ大きな角凧を見つけた。鮮やかな赤地に白抜きで、たしかにその三文字が記されている。そこに杵の絵が添えられているのが遠目でもわかるので、よほど大きな凧に違いない。と、今度は「生き生き」の四文字が揚がり、次いで同じ色遣いの「楽楽」もすうと並ぶ。

あら、派手なことしちゃって。

呆れ半分にくすりと感心した。だが男らは「何だ、あれ」と首を傾げている。

「往生訓に生き生き、楽楽って、奇妙な文言だな。誰だ、あんなの揚げる奴は」

「もしかしたら商いじゃねえの。新手の宣伝」

たぶんそうですよと、お咲は胸の中で話に加わる。

「凧で宣伝ってか。なるほどなあ。そういや、湯屋の脱衣場なんぞ引札だらけで、もう貼るとこがねえもんな」

女湯も同じだと、思い返した。血の道に効くと有名な薬の引札から伽羅油(きゃらあぶら)に白粉、按摩に古着屋の名も揃って、壁がびっしりと埋め尽くされている。

けれど空には、まだ空きがあったということだ。

「だとしても、いったい何の宣伝なんだ」

「往生ってぇんだから、寺か線香じゃねえの」

「ははん、俺、わかった。好き者が床(とこ)ん中で使う薬の名だ。生き生き楽楽、一緒に往生、きっとそうだぜ」

残念、はずれです。というか、まさかその手の薬に間違われるなんてと、噴き出しそうになる。

堤を離れ、豊島町(としまちょう)に向かう道すがらもつい思い出し笑いをしてしまい、たびたび顔を伏せねばならぬほどだ。

お咲は年寄りの介抱を助(す)ける介抱人(かいほうにん)である。介抱先では幾晩も泊まり込み、その間はほとんど横にならずに世話をするので、帰る日の朝は疲れ切っている。が、今日は空を見上げたおかげなのか、何だか胸が広がって足取りまで軽くなる。

鳩屋(はとや)の小豆色の暖簾を潜り、ひょいと敷居をまたいで前土間に入った。

「ただいま戻りました」

五郎蔵とお徳は今日はもう長火鉢の前に並んで坐っており、揃って首を伸ばす。

「ごくろうさん。ちょうど良かった、あんたが帰るの待ってたんだよ」

お徳は煙管(きせる)を持ったまま、手招きをして寄越した。五郎蔵はさっそく急須を持ち上げ、猫板の上に置いた湯呑に茶を淹れている。

火鉢をはさんだ手前には羽織をつけた客らしき背中があり、こっちを振り向いた。

「お疲れさんです」

お咲も小腰を屈め、「お早うございます」と頭を下げた。

色白の顔に愛想の良い笑みを浮かべているのは杵屋佐分郎太(きねやさぶろうた)、今朝の凧を揚げさせた当人だ。

板ノ間の上に、縦長の風呂敷包みが置かれた。

「お待たせいたしました。『往生訓』の試し刷りがやっとご用意できました」

佐分郎太が結び目をほどくと、何十枚あるだろうか、五段重ほどの高さに積み重ねられた紙束が現れた。

杵屋は通油町(とおりあぶらちょう)で貸本屋を営んでおり、佐分郎太はその五代目の主だ。去年、介抱の指南書を出したいと考えついた佐分郎太は、鳩屋にその助力を頼んできた。梅雨の頃のことだ。

元はこの正月に出板しようという目論見だったが指南の思案を練るのに時を喰い、結句、板行の時期は延びに延びた。師走の初めに佐分郎太が詫びにきて、「また、相談に乗ってくれませんか」と頭を下げたのである。

「いざ文や絵にしようとするとなかなか、わからないことが多くて」

それで頭を突き合わせ、「ああでもない、こうでもない」と話し合った。佐分郎太はいざとなれば念入りで、年寄りの身の支え方から着替え、躰を拭く際に留意すべきことなど、事細かくお咲に訊ねた。その後、戯作者に書かせた草稿にも随分と手直しをさせたようだ。

「杵屋さん、見ましたよ、凧」

すると佐分郎太は「いいでしょう、あれ」と、身を乗り出した。

「ええ、目立ってました」

また可笑しくなって頬が緩むが、佐分郎太は「狙い通りですよ」と得意顔だ。

「うちの番頭が、これじゃあ何のことだかわからないって止めたんですけどね。あれ、何なんだろうって思ってもらうだけでいいんだって、押し切ったんです。今から触れ回っておいたら、いざ世間に出した時に、ああ、これが『往生訓』かと手に取ってもらいやすいでしょう」

五郎蔵が佐分郎太の前に湯呑を差し出しつつ、「何の話だ」とお咲に訊ねる。

「後で、大川堤に案内する。でもまずは、試し刷りを拝見しようよ」

お咲は紙束の正面に膝を回した。五郎蔵とお徳も火鉢の前から腰を上げ、そばにやってくる。

三人が紙束の前に並ぶと、佐分郎太は一番上の一枚を手に取り、上下を引っ繰り返してから差し出した。それは表紙で、書名は『往生訓』、そしてその右に副題として『生き生き楽楽　介抱御指南』と小文字が添えてある。

「いよいよ、できたのねえ」

お咲は惚れ惚れと見返す。が、五郎蔵は腕組みをして、鼻息を吐いた。

「こうして見ると、堅い真名が多いなあ。やっぱ、生き生きぽっくりの方が良かったんじゃねえか」

すると横に並んだお徳が五郎蔵の足を叩いた。

「それはもう、皆でさんざん考えたじゃないか。ぽっくり指南はやっぱりまずいんじゃないかって、お咲が気がついて。なるほどなあって、お前さんも得心してただろうに。今頃、蒸し返すんじゃないよ」

「怖い顔すんなよ。ちらっとそう思っただけで、別に腐したわけじゃねえもんよ」

「思いつきをちらちら口に出すんじゃない」

叱られている。

そもそも、「笑って学べる指南書を出したい」と、佐分郎太は考えついた。であるので書名も『生き生きぽっくり指南』が堅苦しくなくてよいと、皆も乗り気であったのだ。

世間には百二十年以上も前に出た『養生訓』を始めとして、すでにその類の書が多く出回っている。ただ、そのいずれもが老親に仕える「孝」の考えが中心だ。

いわく、人は老齢になれば欲が増えて怒りや恨みも増しやすいものゆえ、子はこれを充分にわきまえ、まずは父母の怒りを招かぬように心を慰め、楽しませるべし。

いわく、親が達者であっても起臥を介助し、心の安寧に努めるべし。

介抱で大切なのは親の躰に直に触れることであり、最も厭いがちな大小便の世話も他人に委ねず、子自らが行なうようにと諭す書もある。

そして子供が通う手習塾でも、次のように教えられる。

いずれ親が老いたならばそばを離れずにつき添い、介助の手を差し伸べること、病を得た際は他の仕事をさし措いてでも昼夜寝ずの看病をし、医薬の手を尽くすこと。

けれど、思うようにならぬのが世の常、人の常だ。介抱を巡っての苦労、揉め事、気持ちの行き違いはどの家にもある。

しかもお咲らのような玄人の介抱人を雇えるのはそれなりの分限者であり、今日明日の暮らしを立てるのに精一杯の長屋者にはとてもそんな余裕はない。働きながら親の介抱をせねばならないのだ。

人ひとりが寝ついたら、やはりその世話は生半可なことではない。自身で寝返りを打てなくなった躰の、いかに重いことか、介抱人であるお咲はそれをよく知っている。しかもいかに手を尽くしても、いずれは日に日に弱り、汁も咽喉を通らなくなって衰え続ける。ゆえに介抱をしている者は虚しくなるのだ。いっこうに恢復を見せない老親を見つめながら、報われない気持ちにとらわれる。

そして親もまた、思うようにならぬ我が身に苛立ち、子に気を使って息を潜めねばならない。互いの気持ちが行き違い、諍いにもなる。

親子ともども追い詰められてしまう。

お咲は佐分郎太に助力するうち、介抱先の老人やその身内だけでなく、その向こうにいる無数の親子のことを思った。見ず知らずの人々の介抱について、初めて考えたのだ。

佐分郎太の言うように、孝に縛られない指南書があれば、皆、少しは楽になれるのではないか。

もっと緩やかな、人を追い詰めない知恵があれば。

そこで、笑って介抱を学べる指南にしようと、杵屋と鳩屋は考えを一つにしたのである。「ああすべき、こうすべき」の孝の一点張りではなく、「こうしたら互いに楽になる」を目指そう。

だがいざとなるとお咲は「ぽっくり」の文言が引っ掛かって、考え込んでしまった。

暮れが押し迫り、餅を搗く音が盛んに響いていた時分のことだ。あの日もちょうどこの板ノ間で、佐分郎太が土産に持ってきた煎餅をかじりながら、あれこれと話し合っていた。

「何がそうも気になるんです、お咲さん」

「生き生きはいいと思うんだけど、ぽっくりがどうにも」

その理由は自分でもよくわからず、言葉が尻すぼみになる。

「語呂がいいんだけどなあ。それに、年寄りは皆、ぽっくり逝きたいって口にするじゃありませんか」

佐分郎太は怪訝な顔つきだ。

ふと、おぶんが口にした言葉がよみがえった。

――親の介抱に尽くした者ほど、自身は誰の世話にもなりたくないと口にする。これって、どうなんだろう。

やはりそうだと、お咲はじっと考える。

誰しも、介抱する者の苦労を思い知っているから、寝たきりになりたくない、誰の手も煩わせることなく、ぽっくり逝きたいと願う。

「ぽっくりという言葉を副題に入れたら、その亡くなり方が一番だという思い込みから逃れられないような気がします。寝つくのは良くないことだと思わせてしまうかも」

「ちょっと待ってください。え、寝つくことは別に悪いことじゃないってことですか」

佐分郎太は驚いて、口から煎餅の屑をいくつも零した。お咲は迷いながら言い添える。

「どれほど養生したって、やはり最期は選べない人が多いんじゃないでしょうか。たとえば躰の中にしこりができていたり、元々、心の臓が弱かったりというお人は病が因となるので、それこそぽっくり亡くなるように傍からは見えます。けれど、病をとくに抱えていないお年寄りの場合、老いそのものによって躰が弱って亡くなるわけなので」

お徳は「そういえば」と、煙管の吸口を唇から離した。

「だんだん躰が衰えて、歩けなくなって、起きられなくなって、それで寝つく人も多いね。最期はゆっくりと、消えていくような」

お咲は思わず胸の前で、両の掌を合わせた。ぽんといい音がした。

「そう、それ。ぽっくりじゃなくて、ゆっくり」

皆を見回して、言葉を継いだ。

「あたしが看取ってきたお人らがそうだっただけかもしれないけれど、病が因の場合は具合が良くなったり悪くなったりの波がある。でも老いの症はゆっくりと坂を下っていくような感じで、当然、寝つくのも長くなりがちだよね。だから、皆、ぽっくり逝きたいって口にするんだろうけれど。あたしが気になるのは、介抱の指南書でぽっくりを謳ってしまったら、世間はますますそれを目指してしまうんじゃないかってこと」

お徳が「そうだね」と、頭を縦に振った。

「老いてゆっくり死ぬ、それも立派な往生なのに、いざ自分がそうなったら肩身が狭くなる。お咲は、そういうお人らを取りこぼしたくないんだね」

佐分郎太が顔を上げた。

「つまり、老いのとらえようを変えるってことですか。死についても」

お咲は「ええ」とうなずいた。

佐分郎太は何やら粛然とした面持ちで、天井の辺りに目をやっている。

「なるほど、ぽっくりも、ゆっくりも立派な往生だと思える方が、追い詰められないかもしれない。気が楽になる」

あれこれと独り言を呟いた後、皆に目を戻した。

「じゃあ、養生訓をもじって、『往生訓』ってのはいかがです」

お咲は今、しみじみと試し刷りを見返して、この題に変えてもらって良かったと思う。衰えて死に向かいかけた当人は、もう抗っていないのだ。限りある寿命を生き抜いた者にとって、死は抗うものですらないのかもしれない。

そんな「往生」を介抱する側も受け容れて、最期の日々を分かち合えたら。

「お咲、ぼうっとしてねぇで、こっち、見せてもらいねえ。凄いぜ」

五郎蔵が膝の前に差し出したのは、絵草紙のように賑やかな一枚だ。いろんな様子を描いた絵が横長の紙にいくつも配され、文字の方が遠慮がちなくらいだ。

お徳も板ノ間に片手をついて覗き込む。

「ほんに、これぞ楽しく学べる介抱指南だ」

「この際だから出板は節分まで延ばして、絵の数を増やしたんですよ。絵師に無理を言って随分と根を詰めてもらったんですが、いいでしょう、この感じ。これも、あたしは好きなんだなあ」

佐分郎太は板ノ間に、次々と紙を広げた。

いろんな親子の様子があって、父親が歩くのを脇から倅が介添えしていたり、盥を使っての行水や寝衣の着替え、むろん襁褓を替えている図もある。

そのいずれもが軽妙な線で描かれていて、姿態と顔つきもさまざまだ。だから人の声がする。

お父っつぁん、そこ、道具箱が置いてあるからな。躓くな。

またか。たまには千両箱にしやがれ。

襁褓、汚しちまった。悪いね、いつも。

何、言ってんの。あたしが赤ん坊の時はおっ母さんがしてくれたんだから。お返し。

お前の襁褓はお父っつぁんが係だったんだけど、ま、お返しはもらっとこう。

老親の描き方は実際をよく写していて、背中と腰が曲がり、毛が薄く、歯のない口許はすぼんで顎や頬骨が目立つ。でもそれぞれの心持ちを表わしてか、恵比須顔に地蔵顔、物知り顔に思案顔もある。一筋縄ではいかない面構えもあって、躰は弱っても口は達者、若い者には負けられないとばかりに小言を言う。

お徳が一枚を見せ、「ほら」とお咲に肩を寄せた。

「この婆様なんぞ、いかにも小憎らしくていいね」

「ほんと。昨日もこんな顔で小言を言われたばっかだよ。ちょうどこんな風に、口の上に縦皺が集まるんだよね」

一方、倅や娘、嫁、そして孫らしき身内もよく描き込んであり、孝行一途の面持ちでないところが洒落ている。勘弁してくれよと眉を下げつつ苦笑いしていたり、蒲団に横になっている祖母さんに向かって絡繰り人形で茶を運ばせている図もある。その横で孫がはしゃいでいる。

　そして盥の前に屈んで洗濯をしながら溜息を吐いたり、井戸端で近所の女房が集まって愚痴を言い合っている様子もちゃんと描かれていた。

　苦労は苦労と認めているから、共に縁側で過ごす親子の温もり、明るさが嘘ではなくなるのかもしれない。

　指南文は紙の上方に綴られているが、絵の横にも短い文が付いている。お徳が一枚を膝の上に置き、「なになに」と読み上げ始めた。

「足弱の介添えは背後から抱えるように、腰を支えるが肝心。ただし手取り足取りは禁物。腕を引っ張ればよろけて転びやすく、怪我のもと。足を取って良いのは相撲だけって、ふざけてるねえ」

「笑って学べる介抱指南ですからね。でも本文では懇切丁寧、真面目に指南してありますからご安心ください。そうだ、あれをお見せしないと」

　佐分郎太は「ええと、どこだったっけな」と紙の束を上から何枚かまとめて脇に置き、何かを探している。

「あった、ありました」

佐分郎太は「どうです」と咳払いをしてから、それをお徳に渡した。

「どれどれ」

お徳を中心に五郎蔵とお咲は肩を寄せ、三人で目を落とした。

紙面の左右を一杯に使った、大きな絵だ。これまで見た物は一枚の中にいろんな親子の様子が大小取り交ぜて載っていたが背景は省かれていたので、まるで雰囲気が違う。

商家の店内の様子が浮世絵のごとく描かれているのだ。

長火鉢の前、右手に顎の張った二枚目が坐り、左手には猫板に肘を置いて何かを喋っているふうな女がいる。女も頬のたっぷりとした、目許など少し色っぽい風情だ。

二人から少し離れた板ノ間らしき場には、ずらりと前垂れをつけた娘が並んでいる。歌舞伎芝居の役者が口上を述べるような格好で、膝前に手をつかえて顔だけが真正面だ。皆、若々しく、愛嬌のある顔立ちをしている。

紙の上方には大きな雲形が描いてあり、文字はそこにまとめてある。雲の下には暖簾が下がって翻り、丸に鳩の字が入っている。

お咲は尻を浮かした。

「これ、鳩屋の店先じゃないの」

五郎蔵とお徳は「え」と叫び、「嘘だあ」と笑った。

「まさか。じゃあ、この二枚目がお前さんかえ」

よく見れば、男は手に急須を持っている。

「そんなわけねえだろ。ま、この女はちと、お前の若ぇ頃に似てるけどよ」

「そんな、やだ。ふん、でも、そういや、そうだ。あたし、こんなだったんだよ、お咲」

お徳は照れもしないで、肘で突いてくる。

「これ、本当にうちの宣伝なのかい、杵屋さん」

「お徳さん、気に入っていただけましたか」

「気に入るも何も、まあ、こんな立派な絵付きでやってもらえるなんて、思いも寄らない。大丸（だいまる）さんか、白木屋（しろきや）さんみたいじゃないか」

お徳は大店（おおだな）の名を挙げ、声を弾ませた。一方、五郎蔵は何やらしみじみとした面持ちだ。

「鳩屋を始めて二十年、手塩に掛けた商いがここまでくるとはなあ。苦労もあったが、俺たち夫婦、よくやったよな。よくぞ、ここまで頑張ってきた」

お徳は「あれ」と小鼻を膨らませた。

「お前さんが頑張ったのは、昔も今も急須仕事だけだろう。お茶を淹れるついでに茶々入れて、でもって茶を濁すのが専門だ。ごらんな、この絵もちゃんとそうなってる」

佐分郎太は笑い声を立てながら、雲の中の文字を指し示した。

「この中の文は、他と同じように指南になっていましてね。親への何よりの孝養は、妙なる薬を絶やさぬことだよ、お前さんという、お徳さんの台詞から始まります。で、主の五郎蔵さんが、その妙なる薬はどこで売ってると訊ねる。するとお徳さんが、エエ、そいつぁ自前で用意できる薬さ、笑うことだものと答えます」

お徳がふんふんと、うなずく。

「そして地の文となり、最期のその日まで何度、共に笑えるかを心得るが肝心と記し、また台詞に戻ります。五郎蔵さんが、笑いこそが何よりの薬か、お前と訊ねると、そうさ、介抱する側、される側もそうさと続き、それでも行き詰まったらどうする、お前」と、佐分郎太の言いようはまるで芝居のようだ。

「なアに、そん時は豊島町の鳩屋があるさ」

五郎蔵とお徳は「おお」と声を上げ、佐分郎太はさらに末尾を読み上げた。

「近頃は介抱人なる稼業もあり、安心して任せるも良策。腕利き揃いは鳩屋、生き生き楽楽は鳩屋」

佐分郎太が帰った後もお徳は上機嫌で、お咲に到来物の茶葉や餅、そして珍しい南蛮菓子までも分けてくれた。

「なあ、俺の台詞、短くねえか」

試し刷りを読み返していた五郎蔵は欲を出してか、何度もお咲に訊いた。

二

おきんは口を開いたまま、肩で大きな息をしている。

枕許には倅の庄助が坐っていて、おきんの手を握り締めている。庄助は落ち着いていて、時々、母親の耳に顔を寄せ、「おっ母ぁ」と声をかけるのみだ。

俺はここにいるよ。

そう告げてやっているかのように、お咲には思える。

だから、安心して逝きな。

昨夜から泊まり込んでいるおぶんも静かで、膝の上に重ねられた手にはいつもおきんの唇を拭っていた手拭いが握られているが、今は身じろぎもせずに見守っている。

裏庭に面した障子が仄白くなり、雀が鳴き始めた。

おきんの様子がいよいよいけなくなったのは、七日前、『往生訓』の試し刷りを鳩屋で見た日のことだ。

甚兵衛長屋の木戸門を潜った時は昼八ツを過ぎていて、お咲は気が急いていた。母の佐和は飯の用意もせずに、お咲の帰りをただ待っている。

けれどその日は猫のぽちを抱いて、路地で待ち構えていた。

「遅かったじゃないか」

お咲は黙って聞き流した。

と、手前の庄助の家の油障子が動き、男が出てきた。佐和の情夫、光兵衛だ。お咲はこの二人の姿を目にするたび、妙な臭いを嗅がされたような気になる。

黙って頭を下げて奥に進みかけると、光兵衛が低い声で言った。

「おきんさんの具合が良くねえ」

聞くなり、総身が引き締まる。戸口の中に駆け込んだ。

いよいよだ。

おきんは正月から重湯や味噌汁も受けつけなくなっていた。その様子を見て、お咲は庄助に告げてあったのである。少し迷ったが、庄助がとうに覚悟していることはわかっていた。信じることにした。

「たぶん、まもなく水も呑めなくなると思う」

庄助は「そうか」と答え、しばらく畳に目を落としていた。口許を引き結び、何度か目瞬き(まばた)をした後、顔を上げた。

「どのくらい」

「あと六日か、七日」

「俺ができることは」

「口を開けたまま眠り続けるので、水を綿に含ませて、それで口の中を湿してあげて」

「最後に、何か好きな物を喰わしてやれねえかな。おっ母ぁ、蜜柑が好きだった。暮れも、おぶんさんが持ってきてくれた蜜柑を、いや、一房の半分も喰えなかったけど、ほんと満足そうな顔をした」

お咲は頭(かぶり)を振った。

「蜜柑の汁で口を湿らせてあげる程度にした方がいいと思う。周囲はね、あともう一度だけ食べさせてやりたい、呑ませてやりたいって思うけど、それはもう皆、そうなんだけど、たぶん本人はもう要らないんだよ。躰の中にもう、何も取り込もうとしない」

すでに躰は草木のごとく枯れていて、ただ息をしているだけなのだ。死に抗ってさえいないように、お咲には見える。ところが、身内は何とか死を遠ざけたい。

これまで看取ってきた年寄りの最期を、お咲は思い返す。

そろそろだと思いますと告げると、目尻を濡らしながら「そうですか」と嘆息する者、ふっと怒ったように押し黙る者、いろんな顔があった。

それまでお咲に任せきりであったのに急に慌てふためいて医者を呼び、もう水も受けつけぬのに薬湯を煎じて無理にでも呑ませようとする者もいる。報せを受けた娘が血相を変えて嫁ぎ先から里に帰ってきて、「頑張って」と励まし続けるさまも見た。

そういう時、何かが違うのではないかという思いが胸を過ぎるのだ。それは穏やかな陽溜まりに束の間、翳が差す感じに似ている。

もう、頑張らなくていいのに。

本人はゆっくりと、あの世に向かいつつあるのに。

おそらく若い者にとっての死と、衰えによってこの世を去る死とは違うのだと思うことさえあるけれど、やはり介抱先でそこまで口にするのは憚られた。お咲がそう感じるだけであって、自身の躰で確かめたことがないからだ。

ただ、いろんな最期を見守るうち、逝く人自身にお咲は教えられたような気がする。

「あたしね、時々、思うんだ。水も受けつけなくなった時に、もうお迎えは来てるんじゃないかって。介抱人をする前は、息を引き取るその時にお迎えが来るんだろうって思ってたけど。でもね、ゆっくりと七日ほどをかけて、その人の人生を包んでいるんじゃないかって」

お咲は懐にいつも抱いている、銀の猫に触れた。

舅、仁左衛門の最期を看取れなかったことは申し訳なくて、ずっと胸が痛かった。口惜しかった。けれど介抱人になったお蔭で、今はこう思える。

お義父さん、あなたはお迎えの訪れにもちゃんと気づいて、ああ、そろそろですかと、笑いなすったんでしょうね。

その満ち足りた明るさを想像すると、救われたような気になる。むろん願望まじりの想像ではあるけれど、やっと仁左衛門の最期をそう捉えることができるようになった。

「じゃあ、もうお迎えは来てなさるんだな」

庄助は顎を上げ、上方を見た。

朝の陽射しが動き、雀の声が高くなった。おきんの顔を春陽が静かに照らしている。

庄助は右手でおきんの手を握ったまま、片方の手をおきんの頬に当てた。

息が止まっている。

お咲は目を閉じて手を合わせ、お疲れさまでしたと胸の中で告げた。かたわらのおぶんも頭(こうべ)を垂れ、念仏を唱えている。そして柔らかな声で、からりと言った。

「逝きなすったね」

「逝きました」

庄助もうなずく。

おきんの、そして看取った二人の面持ちも清かった。

通夜には、鳩屋の夫婦も訪れた。

悔やみを受けた後、庄助は問われるままに思い出話をした。

「おっ母ぁは若い時分は気丈夫でね。女だてらに草花売りをして、暮らしを支えてましたよ」

それはいつかお咲も聞いたことがあって、菊職人であった父親は仕事に精を出さず、酒を呑んでは女房、子に手を上げるような父親であったらしい。だから庄助は菊職人になどなりたくはなかったという。商家に奉公したかった。

「けど、おっ母ぁが言いましてね。親父が死んだ後でしたけど、お父っつぁんみたいな、いい菊職人になっておくれって」

「おきんさん、いい倅をお持ちなすったよ」

おぶんがおきんの顔を見つめながら呟いた。すると庄助は改めて、頭を下げた。

「俺が最後まで看取れたのは、おぶんさんが通ってくだすったお蔭です」

「よしとくれよ。暇にあかせた隠居の道楽だって、言っただろう」

「いや、何くれとなく助けてくれたから、おっ母ぁはこんな臨終を迎えられたんだ。俺、おぶんさんと会うまでは、死ぬことばかり考えてたから。おっ母ぁと一緒に」

一人で老親の世話を続けていると気が内に籠り、頑張り過ぎたり、逆になげやりになる者が多いのだ。庄助は共に分かち合えるおぶんを得たことで、介抱を続けられた。覚悟をして手を尽くし、かといって過分な介抱でもなく、従容としておきんが枯れて行くのを受け容れた。見送った後に抜け殻のようになる者も多いけれど、庄助は大丈夫だとお咲は思う。

「そういえば、いつだったか鳩屋さんで聞いたんだけど、白翁も大往生しなすったらしいね」

　おぶんが思い出したように言った。

「うん。用人の大野様からは、葬儀が済んでから文をもらって」

泊まり込んで介抱している間は何があってもその場から抜けられぬことは、白翁の介抱をしていた大野もよくわかってくれていたのだろう。菩提寺が記されてあったので、お咲は躰休めの日に墓参りをした。線香を手向け、綺麗な彩りの細工菓子を供えた。本当は白翁が好きだった春蘭を持って行きたかったけれど、草花売りはまだ季節が来ないと頭を振った。師走の、からっ風のきつい日だった。

　大野は白翁の養子である上野家の当主から「介抱はこれから余がするゆえ」と、暗に身を引くように言い渡されたらしい。

大野もすでに覚悟をつけ、引き継ぎのための書をしたためていたらしい。その最中に、白翁は食べ物をまったく受けつけなくなったという。

結句、上野家の当主と家臣に見守られて、白翁はこの世を去った。

初七日の法要の後、当主は大野にねぎらいの言葉をかけたという。

――殿からは、礼を申すとの言葉を頂戴いたし候。

文にはそう書いてあった。やはり介抱にはもう一人、「誰か」が必要なのだ。身内か、近所の者か、そして介抱人かがそばにいれば、支え合える。

大野は自身の行末については、何も記していなかった。大野らしい。でもいつかまた、文をくれるだろうとお咲は思った。大野のことだから旅に出て、遠国の、思わぬ土地から便りが来るかもしれない。

やがて同じ長屋に住む者らが悔やみに訪れたので、五郎蔵とお徳が先に引き上げた。

「悔やみ客にはあたしがお茶を出すから、お咲ももう帰って横におなり。明日からまた泊まり込みだろう」

おぶんが小声で勧めてくるが、明日の葬儀には出られないのだ。迷っていると、再び戸口の障子が動いた。

「線香、上げさせてもらってよろしいですか」

土間に入ったのは、光兵衛だ。佐和もその背後にいる。

「ああ、よく来てくださった。庄助、三光の旦那だよ」

光兵衛はこの長屋にちょくちょくと通ううち、庄助やおぶんともすっかり顔馴染みになっているようだ。近所の者が引き上げ、そのあとに光兵衛と佐和が並んで坐る。神妙に手を合わせている姿を見て、不思議な心持ちになった。

茶の用意をし始めたおぶんはお咲に肩を寄せ、囁いた。

「佐和さん、何かこう、落ち着いたね。相変わらず綺麗だけどさ、凄みが取れた」

「見慣れただけなんじゃないの」

お咲は膝を回して、帰り支度を始めた。庄助の「有難うございやした」という声で振り向くと、光兵衛と佐和が立ち上がっている。おぶんとお咲に目礼をして土間に下り、戸口の向こうに姿を消した。

おぶんは盆の上に湯呑をのせたばかりで、「出しそびれちまった」と眉を下げつつそれを庄助の前に運んだ。

「お咲も飲んでったら」

茶を啜(すす)りながら勧めるので、「うん」と身を返した。

「あの二人、そっけなかったよね。こんな時くらい、ちゃんと話していけばいいのに」

「光兵衛さんはね、間柄に合わせて振舞いなすったんだよ。長いつきあいじゃないのに長居するのは、野暮ってこと。それにしてもお咲、おっ母さんらを見た途端、硬い顔をして。ことあの二人についてとなったら、ほんに強情だ。いい加減にしないと、悔いることになるのはあんただよ」

痛いところを突かれて、湯呑を掌で包む。

「おっ母さんが来るとは思わなかったから、びっくりしただけ」

近所づきあいが嫌いな佐和は、通夜や葬儀などにも出たがらない。町で葬列を見かけても、験が悪いとばかりに露骨に眉を顰めるのだ。人並みはずれて美しく生まれついた佐和は、老いを恐れているのかもしれない。ゆえに年寄りを避け、死を忌み嫌う。

「佐和さん、これまでも時々、見舞いに来てくれてたんだぜ」

おきんの枕許で、庄助が脚を崩して胡坐を組んだ。

「うちのおっ母さんが。それ、ほんとなの」

「うん、いつも、たまを探しに裏庭伝いに入ってくるんで、佐和さんもそういうつもりじゃなかっただろうが。けど、たまがうちにいる時は上がって、おっ母ぁに何だかんだと話をしてってくれたよ。なあ、おぶんさん」

「あたしがいる時は上がらなかったよ。そこから顔を出して、あたしと目が合ったらぷいと引き返しちまう。ほんに子供みたいな人だ」

庄助の言う「たま」は銀色の毛を持つ猫で、佐和は「ぽち」と呼んで可愛がり、裏の隠居は「銀太郎」、そしておきんは「たま」と呼んでいて、それぞれが真の飼主だと思っているらしい。

「で、おっ母さん、何の話をしてたの」

お咲はまだ戸惑っていた。

「だから、たまの話だよ。ちょうどここに坐って、おきんさん、この子はぽちでござんすよって言い張りなすった」

「んもう、何て意地の悪いことを」

「いや、おっ母ぁはもう一日じゅう、うとうとしてたろう。俺の声もわからないような時もあったけど、佐和さんがあの低い声でぽちの話をしてくれたら、時々、瞼や唇が動くんだ。佐和さんは、ただ、ぽちは煮干が好きだとか、盥の水に前肢を入れて遊ぶんだとか、一方的に喋ってるだけなんだが、俺、びっくりしたよ。お咲さんの前で言うのも何だけど、佐和さんって元々口数が少ねぇ人だし、喋ってもこっちに有無を言わさねぇというか、自分の言いたいだけを言ってすっと背を向けるようなとこ、あるだろう」

「手前勝手だから」

「けど、おっ母ぁにはその、他の人とは違う感じが良かったのかもしれないなあって、思ったことがある」

「たしかに……毎日、介抱してる身近な者の顔や声はわからなくなっていても、数年ぶりで訪れた人にはよく応じて目を覚ますってことはあるけど」

目や耳に珍しいと、ふと半歩、戻ってくるのかもしれない。

　ひたすら、ぽちの話を一方的にする佐和の姿が目に浮かんだ。

「でな、佐和さん、いつのまにか、たまって呼ぶようになってたんだ。おっ母さんに話が通じるように」

思わず、湯呑を膝脇に置いた。

「信じられない」

おぶんは頰を緩めながら、また土瓶に湯を注いでいる。

「佐和さんなりに、見舞ってたんじゃないのかねえ。まあ、あの人らしい不器用さだけど」

障子の向こうの縁側で、かりりと爪を立てる音がした。庄助が片膝を立てて腰を上げ、中に入れてやる。

名などどうでもよいとばかりに猫は悠々と入ってきて、おきんの枕許まで進むと肢を揃えた。じっとおきんを見下ろして鼻をひくつかせ、だがもう気を変えてか毛づくろいを始めた。

三

彼岸も過ぎたある日、お咲は十軒店(じっけんだな)のはずれにある水茶屋に坐っている。

雛市の立つ界隈でもひときわ人の多い場からは離れているが、それでも大変な繁華だ。おなごの節句の準備といえども男客も多く、客と人形売りが「そいつぁ法外だ」「いや、よそならこの倍はする」などと駆け引きをする。

武家や商人の大家(たいか)では雛人形は嫁入り道具であるので、家の蔵に大切に仕舞われている。今、ここで懸命に買い求めているのは長屋者で、娘や孫のための買物なのだろう。

人出が多いので、祭の気分を味わっているのかもしれない。

「やあ、えらい混みようだ。前にまっすぐ歩けやしない」

鼻の下に汗粒を浮かべた仙太郎は床几に腰を下ろすなり、お咲の膝横に置かれた湯呑を勝手に持ち上げて茶を飲み干した。厭なことをすると睨んだが、お咲の顔色になど仙太郎は頓着していない。

「ゆうべもしじゅう起こされてろくろく寝てないのに、この界隈に入ったらば肩は当たるわ、妙な目つきの男にすり寄られるわで、疲れちまった。雛市は巾着切りが多いからねえ」

であればもっと人の少ない所を選べばよいものを、仙太郎は毎回、こういう人の多い場の水茶屋を指図してくる。人気のない寺の境内などより目立ちにくいという考えで、悋気の強い女房を恐れての浅知恵のようだ。

「お前も知っての通り、うちのおっ母さんは気儘だろう。あ痛、いたたたとしじゅう叫んで寝間に呼びつけるもんだからほんに手こずらされるよ。女房も最初は手伝ってたんだが日に日に機嫌が悪くなって、目ぇ吊り上げて当たり散らすんだ。こんなこと、私のすることじゃありませんよなんてわめくから、こっちも中っ腹になって、もうお前には頼まないって、それからは女中らにさせてんだけど、おっ母さんはあたしでないと駄目だから、うかうか手水にも立てやしない。今日も町会所で大事な寄合があるからって言い置いて、飛び出してきたんだ」

母親である登美が長年の癪が嵩じて寝つき、その介抱に追われていると仙太郎に聞いたのは、半年前、こうして借金を返すために会った日のことだった。

仙太郎は土地や長屋を方々に持つ家の主だ。四六時中親のそばに侍って世話をしても、誰も暮らしに困らない。にもかかわらず、不平不満を煮しめたような顔になっていた。まあ、もともと大した面相ではなかったけれどと、お咲は鼻を鳴らす。

気を取り直して居ずまいを改め、膝の上に抱えていた巾着から袱紗包みを取り出した。

「長い間、有難うございました」

暮らしを切り詰めるだけ切り詰めて、銭袋の中に稼ぎを入れ続けてきた。姑と仙太郎に迫られて書いた証文は三十両という高だ。大工のほぼ一年分の稼ぎに相当し、お咲はこれまで、およそ六年をかけて返してきた。

仙太郎は金子を確認して、驚いた。

「こんなに。五両もあるじゃないか」

「これですべてを返し終えたはずです。証文、送ってくれますか。豊島町の鳩屋宛てに」

「送るけど、お前、何か後ろ暗い稼業に手を染めてるんじゃあるまいね」

探るような目つきになった。もういい加減、お前呼ばわりはやめてくれと言いそうになったが、気がつけばふふんと鼻で笑っていた。

「そう。いい亭主が見っかったのよ。近々、嫁ぐ」

仙太郎は唖然としている。

本当は貯めたものだけでは足りなかったので、鳩屋に頭を下げて前借りをしたのだ。どうしても、これを最後にしたかった。

それに、近いうちに夫婦の披露目をすることになっているのはお咲ではなく、母の佐和だ。

お咲は店の女を呼び止め、新しい湯呑を頼んだ。床几の上に置いたままになっている土瓶から注ぎ、ゆっくりと口に運んだ。

これからはもう、この男の顔を見なくて済む。ああ、清々する。

「随分と倖せそうじゃないか」

仙太郎は目の下を歪めているが、勝手に勘違いさせておくことにした。

お咲は先だって、魚河岸の魚勝を訪ねたのである。

店の前では半裸の男らが盛んに行き交い、魚を大きな樽に移したり、それを大八車に積んだりしていた。

「おい、春鱚がまだ来ねぇぞっ」

「あのうすのろ、何をぼやぼやしてやがる。この陽気で鱚が煮えちまわぁ。鰈は」

「まだだ」

ちっと舌を打ったかと思うと、男はたちまち駈け出した。

「おい、ぶちのめすのは後にしろ。ともかく荷が先だ」

男の後ろ姿は走りながら、わめいて返した。

「安心しねえ。一遍に片づける」

生ものを扱う稼業であるのでせっかちで喧嘩っ早いとは聞いていたが、お咲は目を丸くするばかりだ。

少し気を整え、背筋を立ててから魚勝の暖簾を潜った。

家の中にも魚の臭いが染みついているが、土間は水で洗い流したばかりなのか池のように光っており、店の間らしき畳敷きも青々としている。帳場に坐っている男が顔を上げたので、お咲は辞儀をした。

「鳩屋の咲と申します。三光の旦那にお目にかかりたくて、あの、ご別宅をお訪ねしたんですが、今日はこちらだと伺いました」

「ああ、親父なら奥におりますよ。どうぞ、お上がんなって」

男は立ち上がり、裾をさっと手で払った。法被をつけたその面貌は、やはり光兵衛に似ている。

「あたしは周蔵って言います。そのうち光兵衛の名を継がなきゃならないんですが、三光の旦那といやあ、うちの親父のことなんでね。ま、しばらくはいいかって」

懐手をして、白い歯を見せた。お咲については何も訊かなかったが、すべてを呑み込んだような顔に見えた。

奥から男衆(おとこし)が出てきて、お咲を案内した。光兵衛は八畳の座敷に坐っていて、「やあ」と口の端を上げた。

「よく来てくだすった」

「お邪魔します」

それからしばらくは庄助やおぶんの話をして、本題を切り出したのは男衆が大きな茶碗と菓子皿を運んできた後のことである。

「魚勝さん」

「へい」

「まだ、うちのおっ母さんと一緒になりたいと思っておられますか」

光兵衛は黙ってお咲を見返し、ややあって口を開く。

「なりたい」

お咲は息を整えてから、光兵衛に向かって手をついた。

「では。よろしくお願い申します」

顔を上げると、光兵衛は破顔一笑(はがんいっしょう)していた。

「お咲さん、有難うよ。ああ、やっとだな。佐和さん、喜ぶよ」

「訊いてもいいですか、魚勝さん」

「何なりと」

「なぜ、ここまであたしの許しをお待ちになったんですか」

互いに四十を過ぎた男と女のことで、どうとでも好きにできたはずなのだ。しかし光兵衛はお咲の許しを欲しいと言った。それが鬱陶しくてどうとでもすればいいと思い、そう口にしたこともあったのに、光兵衛は頑として引き下がらなかった。

「許しというより、気持ちを待ってた」

光兵衛は腕を組み、目を細めた。

「佐和さんがね、こんなことを言ったことがあるんだ。お咲さんを昔の使用人に預けて妾奉公してた頃、我が子の抱きしめ方がわからなかったって。だから土産を買うのだけが楽しみで、今度こそお咲を喜ばそうと思って玩具や人形を買って与えるんだが、あの子、何も喜ばなかったってね」

胸の中が動いて、我知らず、大きな息を吐いていた。

「あたしたち母娘は遠かったんですね。こんなにも、互いのことを知らなかった」

光兵衛が言葉を継いだ。

「親子でもわかり合えねぇことは、いや、親子だからこそ、行き違うことが多いよ。それは皆、そうだ。他人の気持ちは懸命に汲もうとしたって、いざ身内となれば黙っててもわかってくれるのが当たり前だと思い込みがちでね。俺も、倅にしじゅう怒鳴られてる。ま、こっちも負けてねぇけど」

光兵衛は片頬で笑った。気が緩んで、お咲は膝を少し動かした。

「本当に、おっ母さんでいいんですね。この際だから言いますけど、あの人、おさんどんや掃除洗濯ができないだけじゃないんですよ」

「そんな女房じみたことをさせるつもりは、端っから持ってねぇよ」

「光兵衛さんが知っているより、ずっと毒があるんだから」

「願うたり、だ。この歳になると、何でも大概は見通しがついちまうもんでね。精々、振り回してもらおうか」

「お金にだらしがないし、綺麗な物を見たらどうでも手に入れたくなっちまう。気に入らないことがあったらつんけんして、お箸を投げることだってあるんです。何もかも頼り切りのくせに、いつだって厭な顔して。だから妾奉公でも、旦那に見限られ続けてきたんです」

「お咲さん。あんた、佐和さんが妾をしてきたこと、恥じてなさるのか」

「まさか。若い頃はいざ知らず、妾奉公だって間に口入屋が入って証文も交わします。れっきとした仕事だってことくらい承知してます。女が稼ぐ手立てなんぞ、そうはありませんもの。あたしの養い親にいくばくかは渡さないといけなかったでしょうし、あのおっ母さんが手っ取り早く稼ぐには妾奉公しかなかったと思います」

無愛想で、人好きのしないおっ母さんのことだ。まして贅沢以外、何の芸も身につけていない。酌婦や、それこそ遊女だって勤まりはしない。

「でも、その奉公もまともに続けられない人だったんですよ。一緒に暮らす人間を、きっとうんざりさせるんです」

「なるほど」

「なるほどって、それがどれだけしんどいことか」

つい声が高くなり、はっと口をつぐむ。長い溜息を吐いた。

「ごめんなさい。今さら」

「いや。佐和さんはおそらく、わからねぇんだよ」

「わからない」

「さすがに、娘とうまく行ってねぇことはわかってる。けど、じゃあ何をどうしたらいいのかはわからない。他人の機嫌気褄を取らない女だから、己に対してもどうしたら機嫌良く生きられるかが、どうにも摑めねぇんだよ。いや、自分の欠点を知ってそれを自らどんどん直していける者なんぞ、滅多といやしねえ。一人じゃわからないんだ、人間は」

「じゃあ、あたしはどうしたら良かったのか」

気がつけば俯いていた。

「済んだことより、これからだ。及ばずながら一人、加わらせてもらうんでね。この三光が」

「もしかしたら、母娘二人で行き詰まっていたから、だからあたしの気持ちを待ってくれてたんですか」

光兵衛はそれにはどうとも答えず、口の中ですっと息を吸う音を立てた。

「お咲さん、今度はこっちが訊く番だ」

「はい」と、目を合わせる。

「なぜ、俺たちの仲を認める気になりなすった」

「べつだん、何かきっかけがあったわけじゃありません。いつまでも根競べをしていたって、埒が明きませんから」

そこで言い淀んだ。佐和は「あれほどの人にはもう二度と出会えない」と、お咲に訴えた。その言葉が残っていた。それはきっと、佐和が持つ運のようなものなのだろう。娘とはいえ、その行く手を阻む理由はない。今はむしろ、託す気持ちの方が強い。

おっ母さん、今度こそ、己の運にこたえてみせて、と。

「お咲さん、もう一つ訊ねたいことがある」

「はい」

「佐和さんが作った借金を私が肩代わりさせてもらいたいと言えば、どう答える」

光兵衛の目を真正面から見返す。

こんな話が出るような気が途中からしていたのだ。佐和はお咲が思った以上に、自身の来し方を話している。

「お断りします」

「人に頼るのも、そう悪いことばかりじゃない」

「それは身に沁みて知っています。だから、あの借金は自分で返したい。だって、あれがあったから介抱人をすることになったんだし、ここまで踏ん張ってもこられました。もちろん借金なんぞ、無い方が良かったに決まってます。奉公中もそれを思い出しただけで胸の中がずんと重くなって、泣きたくなるような時だってありました。でも介抱人になったことはこれっぽちも悔いていません。今なら、こういう道を辿るべくして辿って来たんだなって思えるんです。だから、これはあたしが返します」

光兵衛は黙ってお咲を見つめ、そして「わかった」と言った。

仙太郎はまだ母親の介抱について、愚痴り続けている。

「床の中から、ああしろこうしろと指図ばっかだ。それに飽きたら、女房の悪口。もう、うんざりだよ」

お咲はそうだと思い出し、巾着の中から一冊を取り出した。

「これ、役に立つかも」

「『往生訓』、生き生き、楽楽。何だ、これ」

「今、ひっぱりだこの介抱指南書。良かったら持って帰って。差し上げる」

「本なんぞ高いのに、いいのか。お前、よほど銭持ちの男を見つけたのか」

指南書そのものは他の書物と同様、とても値が張るので、市中の者は貸本屋から借りて読むのが尋常だ。『往生訓』は三軒の板元による相板で、つまり三軒で出板にかかわる費用を出し合ったのだが、杵屋もむろんその一軒だ。

しかも本業は貸本屋であるので、杵屋の印半纏をつけた男らが貸本を背負い、湯屋の二階や水茶屋の店先、料理屋や吉原にまで足を延ばしているらしい。

「そう。懐の深い、男伊達よ」

お咲は立ち上がり、「じゃ」と仙太郎に小さく頭を下げた。

「お達者で」

雛市の喧騒の中に入った。


仕事を終えて、菊坂台町の坂を上る。

今日は鳩屋であまり長居をせずに帰ってきたので、吹く風も新しい。

坂の途中で足を止め、振り返った。桜が一重、八重と、思い思いの色を咲かせている。

お咲はしばし見惚れ、今朝の春を見晴るかした。

遠くの大名屋敷の銀甍や寺社の深い緑、川や池も桜霞を映しているかのようだ。

身を返し、甚兵衛長屋に向かってまた歩き始めた。

佐和は明日、光兵衛の許に行く。これから暮らす家に互いの身内が集まって、ささやかな披露目をすることになっている。鳩屋夫婦とおぶん、そして光兵衛は庄助も招いてくれた。

おきんを見送った後、おぶんは近所の年寄りの介抱を始めた。仲間もできたと自慢していたので、元気な隠居らを誘ったのだろう。むろん庄助ともつきあいは続いている。

庄助は菊の注文をくれる好事家の依頼で、桜草や朝顔作りにも挑むそうだ。

木戸口を入ると、路地の奥で佐和が屈んでいた。ぽちを撫でてやっているのか、何やら小声で話しかけている。別れを告げているのだろうかと思った。

佐和とはまだ互いに、つっけんどんな言葉しか交わせない。優しい声もこっぱずかしい。

けれどお咲は胸の中で呼びかける。

我が子の抱きしめ方がわからなかった、おっ母さん。

大丈夫だよ。おっ母さんがもっと歳を取っていつか床に臥すようになったら、あたしがあなたを抱きしめる。

だからそれまでは、いっぱい母娘喧嘩をしよう。

佐和がふと顔を上げ、お咲を見た。ぽちを抱いて立ち上がる。

「遅かったねえ」

佐和の胸の中で、銀色の毛が光った。

解説

秋山香乃

今は人生百年時代と言われている。日本人の平均寿命は男性でおよそ八十一歳、女性は八十七歳なのだそうだ。まことにめでたいようで、その実、自立して生活できる健康寿命は、男性でおよそ七十二歳、女性で七十五歳。つまり、平均して十年前後はだれかの世話を受けなければ暮らしは立ち行かないというわけだ。

では、この物語の舞台となった〝お江戸〟ではどうだったのか。本書には次のように書かれている。「江戸の町は、長寿の町だ」と。「五十過ぎまで生き延びればたいていは長生きで、七十、八十の年寄りはざら、百歳を過ぎた者もいる」。

日本全体がそうだったわけではないようだが、江戸の町の寿命事情は今とそう変わらない。この江戸で、主人公のお咲は、「身内に代わって、年寄りの介抱を助ける奉公人」＝「介抱人」として働いている。介護は現代の私たちにとっても、もっとも身近な問題の一つだ。ぐっと親近感と興味が湧いてくる。

「介抱人」の仕事を、派遣会社のように仲介しているのは口入屋だ。口入屋というのは仕事の斡旋を行う稼業だが、用心棒から女中奉公、妾奉公に、参勤交代の臨時の中間にいたるまで、あらゆる仕事への橋渡しをする。朝井まかて氏は、そこに「介抱人」をつけ加えて独自の世界観を構築した。誰も描いたことのない、介護を扱った江戸もの小説の幕が開いたのだ。

見事な設定だと唸らされるが、人物造形も秀逸だ。

お咲の年齢は、二十五歳。現代の未だ若い二十五歳とは違い、江戸時代では中年増にあたる。そこそこ経験を積んで自分というものを持っているが、人生の酸いも甘いも知り尽くすには経験の足りない年齢だ。物事にあたって、分別顔の時もあれば、おろおろすることもある。半端で未熟な年齢だが、これがいい。

朝井まかて氏といえば、この世の不条理に飲み込まれそうになりながら、「なにくそ」ときばる人々を描けばぴか一の作家。商人なら商人の、お武家ならお武家の、町人なら町人の、女なら女の、それぞれの受ける制約を越えぬ範疇で（これがなかなか難しい）、朝井氏の産みだした登場人物たちは、見事にきっぱりと意地を見せてくれる。それがなんとも心地よい。

この朝井節を、お咲がまだ成長途上で完成された人間ではないからこそ、読者はじゅうぶんに堪能できるわけだ。

お咲は、一度は望まれて金持ちの家に嫁いだが、親の作った借金のせいで離縁される。

美しいが自分勝手で奔放な毒親の佐和は、娘の稼ぎを生活の糧にならぬ自分の身を飾るもので食いつぶし、お咲を疲弊させる。お咲が、「介抱人」になったのは、そもそもがこの母のせいだ。「介抱人」が、「女中奉公の何倍もの稼ぎができる稼業」だからだ。女中奉公の何倍も稼がなければ返しきれぬ母親の借金を、お咲が懸命に返している。抱きしめてくれた記憶のない母の借金を――である。

印象深いのは、「おっ母さん、お願いだからいなくなって。あたしの前から消えて」という言葉が、お咲の喉元まで出かかる場面だ。そう願わずにいられぬ切実さの中で生きるお咲の、ぎりぎりまで追い込まれた心の叫びだが、これは毒親を持ったすべての子の代弁でもあるだろう。親と子の問題は、どちらかがいずれかを憎めば済むという単純なものではない。それだけに、ぐっと胸に打ち込まれたこの場面が、本書を読み進み、佐和が登場するたびに、何度も思い起こされた。

お咲と佐和の関係は少しずつ物語の中で変化を見せる。お咲がどうこの母親に心の決着をつけるのか、この物語の凄みの一つである。

一方で、お咲が「介抱人」を続けるのは、決してお金のためだけではない。守り袋に大切に収められた根付にまつわる過去が、お咲を介護に向かわせる。彼女は、本当の思いは口にせず、そっと胸に秘めている。読者は「根付」を本文に見かけるたびに、どこか温かく、また、切ない気持ちにさせられるのだ。

介護を受けざるを得ない人々の、抵抗や諦め、喜びや怒り、やるせなさと不甲斐なさ、そして弱みを晒す覚悟——様々な心とひたむきに向き合い、あるいは、「命の瀬戸際を見守る」うちに「逝く人自身に」教えられ、お咲は一歩ずつ前へ進んで成長していく。

『銀の猫』は、八編からなる連作短編で、それぞれに一癖も二癖もある老人たちが、介護される側として出てくる。

「倅夫婦の心が見えなくなっ」て「波風を立てた」料理茶屋の御隠居。「道楽なんてまるで縁のない、堅い人だった」のに、急にあらゆる道楽に手を出し、派手に散財する女隠居おぶん。心の奥底に黒い靄を貯め込みながら、煩がられているのに娘の世話を焼こうとする母親。人々や父に好まれる人間になるよう、己の本分を隠し、矯正し、武士として模範的に生きてきた数十年を、老いにあっけなく覆されてしまった旗本。身を削って世話をする息子のことが、誰かわからなくなっていく母親。老老介抱の姉妹、等々。

こうして書き出すと、少し重たい物語だと感じるかもしれない。だが、驚くことに、彼らはみな生き生きしている。全員が必死に歩んできた歴史を持ち、きっちりと血が通っているためだ。看取られて逝く者にでさえ、じんわりとした肌の温もりを覚える。

もちろん介護される側だけでなく、する側も、厭うて逃げる者も、だれかにひどい仕打ちをしてしまう者さえ、一筆一筆丁寧に描かれている。登場人物はだれもがままならない心を抱え、自身に翻弄され、身近な者を傷つける。そんな弱さを抱えた者たちに、そっと寄り添う作者の目は、どこまでも温かい。

それにしても、これほど誠実に、真正面から老いや介護の問題を多角的に描いた江戸もの小説があったろうか。介護をする者、される者、その周囲にいる者たちそれぞれの心、「介抱を巡っての苦労、揉め事、気持ちの行き違い」などのあらゆる問題が描かれている。

だからこそ、おぶんの言う、「親の介抱に尽くした者ほど、自身は誰の世話にもなりたくないと口にする。これって、どうなんだろう」という言葉に、お咲は思いを寄せ、「じっと考える」のだ。そして、「もっと緩やかな、人を追い詰めない知恵があれば」と願う。

小説を書く上で、「小説の中のリアリティは、現実のリアリティより幅が広い」という言葉がある。現実をそのまま映し出すのではなく、人々の言葉にならない心の奥底の願いを掬い取って織り込むことで、小説はいっそう真実味を帯びて力を放つのだ。

本書の中のお咲の願いは、実現するには気が遠くなるほど難しいはずだ。が、もしかしたらと、読者の中にはふと希望を抱く人もいることだろう。お咲らと共に、どうにか模索したくなるではないか。本作は、そんな魅力に満ちている。

また、「神は細部に宿る」という言葉もある。朝井まかて氏の作品はどれも、設定、描写、小物に至るまで神経が行き届いているが、文体も実に美しい。ことに会話と会話の間や後にくる地の文に、一度注目して読んでみて欲しい。さらに人物の仕草をあらわす表現がどれも絶妙で、私はそこだけ拾い上げて読み直したほどだ。『銀の猫』は、一読目より、再読するたびに面白さを増していく。ぜひ何度となく、試してみて欲しい。

（作家）

参考文献

『近世の女性相続と介護』柳谷慶子　吉川弘文館
『養生訓』貝原益軒著／伊藤友信訳　講談社学術文庫

単行本　2017年1月　文藝春秋刊

文春文庫

銀(ぎん)の猫(ねこ)

定価はカバーに表示してあります

2020年3月10日　第1刷
2024年7月10日　第7刷

著者　朝井(あさい)まかて
発行者　大沼貴之
発行所　株式会社 文藝春秋

東京都千代田区紀尾井町3-23　〒102-8008
TEL 03・3265・1211(代)
文藝春秋ホームページ　http://www.bunshun.co.jp

落丁、乱丁本は、お手数ですが小社製作部宛お送り下さい。送料小社負担でお取替致します。

印刷・TOPPANクロレ　製本・加藤製本　Printed in Japan
ISBN978-4-16-791455-4

（　）内は解説者。品切の節はご容赦下さい。

安部龍太郎
等伯（上下）
武士に生まれながら、天下一の絵師をめざして京に上り、戦国の世でたび重なる悲劇に見舞われつつも、己の道を信じた長谷川等伯の一代記を描く傑作長編。直木賞受賞。（島内景二）
あ-32-4

安部龍太郎
宗麟の海
信長より早く海外貿易を行い、硝石、鉛を輸入、鉄砲をいち早く整備。宣教師たちの助力で知力と軍事力を駆使して瞬く間に九州を制覇した大友宗麟の姿を描く歴史叙事詩。（鹿毛敏夫）
あ-32-8

安部龍太郎
海の十字架
銀と鉄砲とキリスト教が彼らの運命を変えた。長尾景虎、大村純忠ら乱世を生き抜いた六人の戦国武将たち。大航海時代とリンクした、まったく新しい戦国史観で綴る短編集。（細谷正充）
あ-32-9

安能　務
始皇帝　中華帝国の開祖
始皇帝は〝暴君〟ではなく〝名君〟だった!?　世界で初めて政治力学を意識し中華帝国を創り上げた男。その人物像に迫りつつ、現代にも通じる政治学を解きあかす一冊。（冨谷　至）
あ-33-4

浅田次郎
壬生義士伝（みぶぎしでん）（上下）
「死にたぐねえから、人を斬るのす」——生活苦から南部藩を脱藩し、壬生浪（みぶろ）と呼ばれた新選組で人の道を見失わず生きた吉村貫一郎の運命。第十三回柴田錬三郎賞受賞。（久世光彦）
あ-39-2

浅田次郎
一刀斎夢録（上下）
怒濤の幕末を生き延び、明治の世では警視庁の一員として西南戦争を戦った新選組三番隊長・斎藤一の眼を通して描き出される感動ドラマ。新選組三部作ついに完結！（山本兼一）
あ-39-12

浅田次郎
黒書院の六兵衛（上下）
江戸城明渡しが迫る中、てこでも動かぬ謎の武士ひとり。勝海舟や西郷隆盛も現れて、城中は右往左往。六兵衛とは一体何者か？笑って泣いて感動の結末へ。奇想天外の傑作。（青山文平）
あ-39-16

（　）内は解説者。品切の節はご容赦下さい。

浅田次郎
大名倒産（上下）
天下泰平260年で積み上げた藩の借金25万両。先代は「倒産」で逃げ切りを狙うが、クソ真面目な若殿は──奇跡の「経営再建」は成るか？　笑いと涙の豪華エンタメ！（対談・磯田道史）
あ-39-20

あさのあつこ
燦（さん）　1　風の刃（やいば）
疾風のように現れ、藩主を襲った異能の刺客・燦。彼と剣を交えた家老の嫡男・伊月。別世界で生きていた二人には隠された宿命があった。少年の葛藤と成長を描く文庫オリジナルシリーズ。
あ-43-5

あさのあつこ
火群（ほむら）のごとく
兄を殺された林弥は剣の稽古の日々を送るが、家老の息子・透馬と出会い、政争と陰謀に巻き込まれる。小舞藩を舞台に少年の友情と成長を描く、著者の新たな代表作。（北上次郎）
あ-43-12

青山文平
白樫の樹の下で
田沼意次の時代から清廉な松平定信の息苦しい時代への過渡期。いまだ人を斬ったことのない貧乏御家人が名刀を手にしたとき、何かが起きる。第18回松本清張賞受賞作。（島内景二）
あ-64-1

青山文平
つまをめとらば
去った女、逝った妻……瞼に浮かぶ、獰猛なまでに美しい女たちの面影は男を惑わせる。江戸の町に乱れ咲く、男と女の性と業。女という圧倒的リアル！　直木賞受賞作。（瀧井朝世）
あ-64-3

朝井まかて
銀の猫
嫁ぎ先を離縁され「介抱人」として稼ぐお咲。年寄りたちに人生を教わる一方で、妾奉公を繰り返し身勝手に生きてきた、自分の母親を許せない。江戸の介護を描く傑作長編。（秋山香乃）
あ-81-1

朝松　健
血と炎の京（みやこ）　私本・応仁の乱
応仁の乱は地獄の戦さだった。花の都は縦横に走る塹壕で切り刻まれ、唐土の殺戮兵器が唸る。戦場を走る復讐鬼・道賢と、救いを希う日野富子を描く書下ろし歴史伝奇。田中芳樹氏推薦。
あ-85-1

（　）内は解説者。品切の節はご容赦下さい。

井上ひさし
手鎖心中
材木問屋の若旦那、栄次郎は、絵草紙の人気作者になりたいと願うあまり馬鹿馬鹿しい騒ぎを起こし……歌舞伎化もされた直木賞受賞作。表題作ほか「江戸の夕立ち」を収録。（中村勘三郎）
い-3-28

井上ひさし
東慶寺花だより
離縁を望み決死の覚悟で鎌倉の「駆け込み寺」へ——女たちの事情、強さと家族の絆を軽やかに描いて胸に迫る涙と笑いの時代連作集。著者が十年をかけて紡いだ遺作。（長部日出雄）
い-3-32

池波正太郎
火の国の城（上下）
関ヶ原の戦いに死んだと思われていた忍者、丹波大介は雌伏五年、傷ついた青春の血を再びたぎらせる。家康の魔手から加藤清正を守る大介と女忍び於蝶の大活躍。（佐藤隆介）
い-4-78

池波正太郎
秘密
家老の子息を斬殺し、討手から身を隠して生きる片桐宗春。だが人の情けに触れ、医師として暮すうち、その心はある境地に達する——。最晩年の著者が描く時代物長篇。（里中哲彦）
い-4-95

池波正太郎
その男（全三冊）
杉虎之助は大川に身投げをしたところを謎の剣士に助けられる。こうして〝その男〟の波瀾の人生が幕を開けた——。幕末から明治へ、維新史の断面を見事に剔る長編。（奥山景布子）
い-4-131

稲葉　稔
武士の流儀（一）
元は風烈廻りの与力の清兵衛は、倅に家督を譲っての若隠居生活。平穏が一番の毎日だが、若い侍が斬りつけられる現場に居合わせたことで、遺された友の手助けをすることになり……。
い-91-12

伊東　潤
王になろうとした男
信長の大いなる夢にインスパイアされた家臣たち。毛利新助、原田直政、荒木村重、津田信澄、黒人の彌介。いつ寝首をかくか、かかれるかの時代の峻烈な生と死を描く短編集。（高橋英樹）
い-100-1

伊東　潤
潮待ちの宿
時は幕末から明治、備中の港町・笠岡の宿に九歳から奉公する志鶴。薄幸な少女は、苦労人の美しいおかみに見守られ逞しく成長する。歴史小説の名手、初の人情話連作集。（内田俊明）
い-100-6

宇江佐真理
幻の声　髪結い伊三次捕物余話
町方同心の下で働く伊三次は、事件を追って今日も東奔西走。江戸庶民のきめ細かな人間関係を描き、現代を感じさせる珠玉の五話。選考委員絶賛のオール讀物新人賞受賞作。（常盤新平）
う-11-1

宇江佐真理
余寒の雪
女剣士として身を立てることを夢見る知佐は、江戸で何かを見つけることができるのか。武士から町人まで人情を細やかに描く七篇。中山義秀文学賞受賞の傑作時代小説集。（中村彰彦）
う-11-4

上田秀人
遠謀　奏者番陰記録
奏者番に取り立てられた水野備後守はさらなる出世を目指し、松平伊豆守に服従する。そんな折、由井正雪の乱が起こり、備後守はその裏にある驚くべき陰謀に巻き込まれていく。
う-34-1

上田秀人
本意に非ず
明智光秀、松永久秀、伊達政宗、長谷川平蔵、勝海舟。歴史の流れの中で、理想や志と裏腹な決意をせねばならなかった男たちの無念と後悔を描く傑作歴史小説集。（坂井希久子）
う-34-2

冲方　丁
剣樹抄
父を殺され天涯孤独の了助は、若き水戸光國と出会う。異能の子どもたちを集めた幕府の隠密組織に加わり、江戸に火を放つ闇の組織を追う！　傑作時代エンターテインメント。（佐野元彦）
う-36-2

海老沢泰久
無用庵隠居修行
出世に汲々とする武士たちに嫌気が差した直参旗本・日向半兵衛は「無用庵」で隠居暮らしを始めるが、彼の腕を見込んで、難事件が次々と持ち込まれる。涙と笑いありの痛快時代小説。
え-4-15

（　）内は解説者。品切の節はご容赦下さい。

平蔵の首
逢坂　剛・中　一弥　画
深編笠を深くかぶり決して正体を見せぬ平蔵。その豪腕におののきながらも不逞に暗躍する盗賊たち。まったく新しくハードボイルドに蘇った長谷川平蔵もの六編。（対談・佐々木　譲）
お-13-16

平蔵狩り
逢坂　剛・中　一弥　画
父だという「本所のへいぞう」を探すために、京から下ってきた女絵師。この女は平蔵の娘なのか。ハードボイルドの調べで描く、新たなる鬼平の貌。吉川英治文学賞受賞。（対談・諸田玲子）
お-13-17

生きる
乙川優三郎
亡き藩主への忠誠を示す「追腹」を禁じられ、白眼視されながら生き続ける初老の武士。懊悩の果てに得る人間の強さを格調高く描いた感動の直木賞受賞作など、全三篇を収録。（縄田一男）
お-27-2

葵の残葉
奥山景布子
尾張徳川の分家筋・高須に生まれた四兄弟はやがて尾張、一橋、会津、桑名を継いで維新と佐幕で対立する。歴史と家族の情が絡み合うもうひとつの幕末維新の物語。（内藤麻里子）
お-63-2

音わざ吹き寄せ
奥山景布子
音四郎稽古屋手控
元吉原に住む役者上がりの音四郎と妹お久。町衆に長唄を教えているが、怪我がもとで舞台を去った兄の事情を妹はまだ知らない。その上兄には人に明かせない秘密が……。（吉崎典子）
お-63-3

渦
大島真寿美
妹背山婦女庭訓　魂結び
浄瑠璃作者・近松半二の生涯に、虚と実が混ざりあい物語が生まれる様を、圧倒的熱量と義太夫の如き心地よい大阪弁で描く。史上初の直木賞&高校生直木賞W受賞作！（豊竹呂太夫）
お-73-2

仕立屋お竜
岡本さとる
極道な夫に翻弄されていたか弱き女は、武芸の師匠と出会ったことで、過去を捨て裏の仕事を請け負う「地獄への案内人」となった。女の敵は放っちゃおけない、痛快時代小説の開幕！
お-81-1

（　）内は解説者。品切の節はご容赦下さい。

梶よう子
一朝の夢
朝顔栽培だけが生きがいで、荒っぽいことには無縁の同心・中根興三郎は、ある武家と知り合ったことから思いもよらぬ形で幕末の政情に巻き込まれる。松本清張賞受賞。（細谷正充）
か-54-1

梶よう子
赤い風
原野を二年で畑地にせよ——。川越藩主柳沢吉保は前代未聞の命を下す。だが武士と百姓は反目し合い計画は進まない。身分を超え、未曾有の大事業を成し遂げられるのか。（福留真紀）
か-54-4

梶よう子
菊花の仇討ち
変化朝顔の栽培が生きがいの同心・中根興三郎は、菊作りで糊口を凌ぐ御家人・中江惣三郎と知り合う。しかし、興三郎は中江と間違えられ、謎の侍たちに襲われて……。（内藤麻里子）
か-54-5

川越宗一
天地に燦たり
なぜ人は争い続けるのか——。日本、朝鮮、琉球。東アジア三か国を舞台に、侵略する者、される者それぞれの矜持を見事に描き切った歴史小説。第25回松本清張賞受賞作。（川田未穂）
か-80-1

川越宗一
熱源
日本人にされそうになったアイヌと、ロシア人にされそうになったポーランド人。文明を押し付けられた二人が、守り継ぎたいものとは？　第一六二回直木賞受賞作。（中島京子）
か-80-2

木内昇（のぼり）
茗荷谷の猫
茗荷谷の家で絵を描きあぐねる主婦。染井吉野を造った植木職人。画期的な黒焼を生み出さんとする若者。幕末から昭和にかけ各々の生を燃焼させた人々の痕跡を掬う名篇9作。（春日武彦）
き-33-1

木下昌輝
宇喜多の捨て嫁
戦国時代末期の備前国で宇喜多直家は、権謀術策を縦横無尽に駆使し、下克上の名をほしいままに成り上がっていった。腐臭漂う、希に見る傑作ピカレスク歴史小説遂に見参！
き-44-1

堺屋太一
豊臣秀長
ある補佐役の生涯（上下）

豊臣秀吉の弟秀長は常に脇役に徹したまれにみる有能な補佐役であった。激動の戦国時代にあって天下人にのし上がる秀吉を支えた男の生涯を描いた異色の歴史長篇。（小林陽太郎）

さ-1-14

早乙女　貢
明智光秀

明智光秀は死なず！　山崎の合戦で生き延びた光秀は姿を僧侶に変え、いつしか徳川家康の側近として暗躍し、二人三脚で豊臣家を滅ぼし、幕府を開くのであった！（縄田一男）

さ-5-25

佐藤雅美
怪盗　桐山の藤兵衛の正体
八州廻り桑山十兵衛

消息を絶っていた盗賊「桐山の藤兵衛一味」。再び動き始めたのはなぜか。時代に翻弄される人々への、十兵衛の深い眼差しが胸を打つ。人気シリーズ最新作にして、最後の作品。

さ-28-26

佐藤雅美
美女二万両強奪のからくり
縮尻鏡三郎

町会所から二万両が消えた！　前代未聞の事件は幕閣の醜聞に発展する。殺される証人、予測不能な展開。果たして鏡三郎たちは狡猾な事件の黒幕に迫れるか。縮尻鏡三郎シリーズ最新作。

さ-28-25

佐藤雅美
大君の通貨
幕末「円ドル」戦争

幕末、鎖国から開国へ変換した日本は否応なしに世界経済の渦に巻込まれていった。最初の為替レートはいかに設定されたのか。幕府崩壊の要因を経済的側面から描き新田次郎賞を受賞。

さ-28-7

坂井希久子
江戸彩り見立て帖
色にいでにけり

鋭い色彩感覚を持つ貧乏長屋のお彩。その才能に目をつけた右近。強引な右近の頼みで、お彩は次々と難題を色で解決していく。江戸のカラーコーディネーターの活躍を描く新シリーズ。

さ-59-3

坂井希久子
江戸彩り見立て帖
朱に交われば

江戸のカラーコーディネーターが「色」で難問に挑む。大好評の文庫オリジナル新シリーズ、待望の第2弾。天性の色彩感覚を持つお彩の活躍、そして右近の隠された素顔も明らかに……。

さ-59-4